In
Memory
of
Lawrence & Sylvia Chait,
Art Lovers

1. Tuktoyaktuk
2. Aklavik
3. Coppermine
4. Holman
5. Bathurst Inlet
6. Cambridge Bay
7. Pelly Bay
8. Repulse Bay
9. Baker Lake
10. Rankin Inlet
11. Whale Cove
12. Eskimo Point
13. Churchill
14. Poste-de-la-Baleine
15. Belcher Islands
16. Inoucdjouac
17. Povungnituk
18. Ivujivik
19. Saglouc
20. Maricourt
21. Koartac
22. Bellin
23. Fort-Chimo
24. Port-Nouveau-Québec
25. Port Burwell
26. Cape Dorset
27. Lake Harbour
28. Frobisher Bay
29. Pangnirtung
30. Clyde
31. Pond Inlet
32. Arctic Bay
33. Grise Fiord
34. Igloolik
35. Coral Harbour
36. Richmond Gulf

The Art of the Canadian Eskimo

L'art des Esquimaux du Canada

Frontispiece

Bird Dream Forewarning Blizzards. 1959
Stone cut
Tudlik
Cape Dorset

Frontispice

Rêve d'oiseau annonçant des blizzards. 1959
Gravure sur pierre
Tudlik
Cape Dorset

Inunnit

The Art of the Canadian Eskimo

by W. T. Larmour
French translation by Jacques Brunet

L'art des Esquimaux du Canada

par W. T. Larmour
Traduction française par Jacques Brunet

Issued under the authority of
the Minister of Indian Affairs and Northern Development

Publié avec l'autorisation du
ministre des Affaires indiennes et du Nord canadien

Preface

Nearly two decades have now passed since Canadians turned curious eyes towards their Arctic lands and, for the first time, seriously recognized the presence of the Eskimos and their plight. Consequently, came long delayed recognition of the achievements of a great and ingenious people. If our relationships with our new friends the Eskimos have been at all successful, this has been much the result of their ability to communicate with us through the media of their arts in various forms.

This book brings together examples of contemporary Eskimo carvings created since 1960 and of prints since their first formal appearance in 1959. Not all Eskimo artists are represented. The works of art which appear here are representative of Eskimos wherever they may be in the Canadian Arctic. No small book such as this, however, can do full justice to their work.

The selection and definitive appreciation of individual Eskimo artists is a problem for time and for the collector to solve, a problem which offers not the least of the pleasures of those who take a serious interest.

No injustice is intended to any Eskimo artist, man or woman, whose work does not appear here. It is hoped that this book may stimulate interest in the artists it presents and invite search and discovery of the art of those whose work has not yet been noticed by the experts. These pages contain examples from as recently as 1966 and include the work of new, young artists. They speak well for the future of Eskimo art.

Minister,
Indian Affairs and Northern Development

4

ᐅᑲᐅᓯᑲᖅ ᐊᐳᒍᐊᓂᓗ ᓴᓇᒍᐊᓯᒪᔭᓂᓗ

Préface

ᐅᑲᐅᓯᑲᖅ ᐊᐳᒍᐊᓂᓗ ᓴᓇᒍᐊᓯᒪᔭᓂᓗ

ᒪᓇ ᐊᕋᒍ 20-ᑲᓴᐅᓚᐳ ᐃᓄᐃᑦ ᐅᐳᑎᔭᐅᑎᐊᓚᐅᐃᓇᒪᑕ ᑲᓄᓗ ᓄᓇᓕ ᐃᓗᐊᕆᑎᕆᒪᒐ ᐃᓄᐱ-ᕆᓇᓯᕆᐊᒥ. ᑌᒪ ᑌᒣᖅᒪ ᐃᓄᐃᑦ ᓯᓚᖅᓂᕆᓗ ᐱᔭᓇᓂᕆᓗ ᐊᑯᓂ ᑲᐅᔮᔭᐅᓇᓴᕈᑎᕆᓚᐅᐱ. ᐃᓄᐃᑦ ᑲᐅᔮᑎᐊᓚᐅᓇᑕᐳ ᐱᔭᓇᑎᐊᓂᕆᓂ ᑭᓯᐊᓂ ᓴᓇᒍᐊᐸᑕᕆᓗ ᐊᐳᒍᐊᓚᐅᐸᑕᕆᓗ ᓯᓗ ᐊᑯᑎᕆᔭᔭᓗᕆ ᑲᐅᔮᔭᑎᕆᔭᐳ.

ᐅᑯᐊ ᑕᕙ ᐅᑲᓚᒪᒐᐃᑦ ᐊᐳᒍᐊᑕᑲᐅᖅ ᓴᓇᒍᐊᒐᓂ ᓴᓇᔭᐅᔭᐱᓂᓂ1960 ᖅᒐᓂ ᐊᒪᓗ ᐊᐳᒍᐊᓚᐊᐱᓂ 1959 ᖅᒐᓂ. ᑕᒪᒥ ᐃᓄᐃᑦ ᐊᐳᒍᐊᓚᐅᐸᖅᓗ ᓴᓇᒍᐊᐸᖅᓗ ᓴᓇᔭᐱᓂᕆ ᑕᕙᓂ ᐅᑲᓚᒪᒐᓂᕆᒪᑕ ᑭᓯᐊᓂᓚ ᑕᑯᐊ ᐊᐳᒍᐊ ᐃᓄᓚᒪᓄ ᑲᓇᑕᒥᖅᓄ ᓇᓗᔭᐅᔭᓂᑎᑎᔭᒪᑕ ᐱᔭᓇᓂᕆᓂ. ᑭᓯᐊᓂ ᑎᒣᑲᓗᐊᑎᓗᒍ ᑕᑯᐊ ᐅᑲᓚᒪᑯᓗᐃᑦ ᑕᒣᓂ ᓴᓇᒍᐊᑲᐅᓂᕆᓂ ᐃᓄᐃᑦ ᓇᓗᓇᐳᓂᑎᑎᔭᓇᕆᒪᑕ ᒥᑭᓗᐊᕋᒥ ᓯᑲᐃᒪ.

ᓇᓗᓇᕆᖅᒐᓗᐊ ᑭᑯᖅᐃᓇᐃᑦ ᓯᓇᒍᐊᐸᖅ ᐊᐳᒍᐊᓚᐅᐸᖅᓗ ᓴᓇᔭᕆ ᐱᔭᒪᔭᐅᔭᐃᓇᓗᓯᓴᐅᑎᕆᓗᑎ ᐱᔭᕆᖅᒐᓗᐊ ᑭᓯᐊᓂ ᐊᑯᓂᑲᓂᐅᓚᐸ ᐱᔭᒪᔭᐅᕙᓚᐊᓂᐊᖅ.

ᐅᒍᐊᑯᕆᑕᕋᓗᐊᕗ ᐊᐃᑕᐳᓯᑯᕆᓗᕆᓗ ᑭᑯᖅᐃᓇᐃ ᐊᒍᑎᓗᓂ ᐊᓇᓗᓂ ᓴᓇᔭᐱᓂᕆ ᐊᐳᒍᐊᓚᐊᐱ-ᓂᕆᓗᓂ ᐅᕙᓂ ᐅᑲᓚᒪᓂᕆᒪᑕ ᓯᑲᐃᒪ ᒥᑭᓗᐊᒪᑕ ᐅᑲᓚᒪᐃ. ᐃᓯᒪᒐᓗᐊᖅᒍ ᑕᑯᐊ ᓴᓇᔭᐱᓂ ᐊᐳᒍᐊᓚ ᐅᕙᓂ ᐅᑲᓚᒪᓂ ᐊᒪᓗ ᐊᐳᒍᐊᑲᕆᑲᓗᐊᑎᓗᕆ ᓴᓇᔭᓇᖅᑕᐅ ᑕᒪᒥ ᓴᓇᔭᒪᓚᑲᓂᑯᔭᕋᓗᐊᕗ ᐊᔭᓇᕆᐸ.

ᐅᑲᖅᑲᓯᒪᒪ ᐃᓄᐃᒍ ᓴᓇᒍᐊᑲᓂᐳᓇᐃᓚᒪᑕ ᐊᐳᒍᐊᓚᐅᐳᓂᓗᑎᓗ ᐱᐅᓂᓴᓂ ᑭᓯᐊᓂᓚ ᑌᒣᖅᑎᓯᕆᖅᒍ ᐅᐱᓇᕋᓂ ᐅᑲᓚᒪᐃ ᓇᓗᓇᐳᓂᑎᑎᒪᑕ ᐱᑎᐊᐳᓇᖅᓂ ᐃᓄᓂ ᓯᕗᓂᓴᑎᓂᓗ ᑕᑯᐊ ᓴᓇᔭᐅᔭᐱᓂ ᓴᓇᒍᐊᒪᐃ ᐊᐳᒍᐊᓚᐊᐱᓂᓗ ᐊᑯᓂᐸᓗᓚᖅ ᐃᓚᕆᓗ ᓄᑕᒍᔭ 1966-ᒥ ᓴᓇᔭᐱᓂ ᐃᓚᕆ ᒪᑯᖅᓂ (ᐅᐱᒐᓂ) ᓴᓇᔭᐅᔭᐱᓂᑕᐅ.

ᐊᑲᖅ ᓚᐃ
ᐃᓄᓕᑎᐳᑯᑦ,
ᐊᒐᔭᑲᒪᑎᒐ.

Il y a une vingtaine d'années les Canadiens tournaient un regard curieux vers leurs terres arctiques et reconnaissaient sérieusement, pour la première fois, la présence des Esquimaux et leurs difficultés. En même temps, on reconnaissait enfin ce qu'avait accompli ce peuple noble et ingénieux. Le succès de nos rapports avec nos nouveaux amis les Esquimaux tient en grande partie à leur aptitude à communiquer avec nous par le moyen de leurs diverses formes d'art.

Le présent ouvrage réunit des exemples de sculptures esquimaudes postérieures à 1960 ainsi que des estampes dont les premières remontent à 1959, année de l'apparition officielle de cette forme d'art. Les oeuvres reproduites dans ces pages représentent tous les Esquimaux, où qu'ils se trouvent dans l'Arctique canadien. Cependant, un ouvrage aux dimensions aussi restreintes que celui-ci ne peut guère rendre pleinement justice à leur travail et surtout ne peut tenir compte de tous les artistes.

Le choix et l'évaluation définitive des divers artistes esquimaux ne seront fixés que par le temps et les collectionneurs. Pour ceux qui s'intéressent sérieusement à l'art esquimau, ce n'est là d'ailleurs qu'une des sources de la fascination qu'il exerce.

Nous n'entendons nullement déprécier l'artiste esquimau, homme ou femme, dont les oeuvres n'apparaissent pas ici. Puisse cet ouvrage stimuler l'intérêt à l'égard des artistes qu'il présente, encourager la recherche et favoriser la découverte d'artistes qui n'ont pas encore attiré l'attention des connaisseurs.

On a dit de l'art esquimau qu'il était à son déclin. Nous ne sommes pas de cet avis. On trouvera dans ces pages des oeuvres qui datent de 1966, des oeuvres émanant d'artistes jeunes et dynamiques, et qui augurent bien de l'avenir de l'art esquimau.

Le ministre des Affaires indiennes et du Nord canadien

Portraits

Iyola, Cape Dorset

Siuraq, Cape Dorset

Kenojuak, Cape Dorset

Josie Paperk, Povungnituk, Québec

Akigga, Baker Lake

Kingalik, Baker Lake

Kytak, Saglouc, Québec

Parr, Cape Dorset

Makpa, Baker Lake

Talirunili, Povungnituk, Québec

Kiakshuk, Cape Dorset

Davidialuk, Povungnituk, Québec

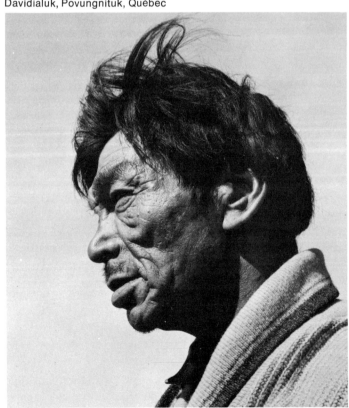

The Art of the Canadian Eskimo

My arms they wave high in the air.
My hands they flutter behind my back;
they wave above my head like the
wings of a bird.
Let me move my feet, let me dance,
let me shrug my shoulders, let me
shake my body.
My arms let me fold them; let me
crouch down;
Let me hold my hands under my chin.

I want to laugh, I, my sled because
it is broken,
Because its ribs are broken I want to laugh.
Here at Talaviuyak I encountered hummocky
ice, I met with an upset.
I want to laugh. It is not a thing to
rejoice over.

Western Arctic Dance songs sung
by Unalina and Cukaiyoq
Translation: Diamond Jenness,
Canadian Arctic Expedition, 1913-18.

In the month of May, which can be the hottest month of the year in the Canadian Arctic, spiders walk in the snow on the surface of lakes, in the blinding spring sunlight. Caterpillars crawl on the crests of giant snowdrifts, softening in the warm south winds. The Eskimos wear goggles to protect their eyes from the glare of the sun's rays bouncing off the soft deep spring snow. The first white geese come in flocks like spirits whirling across the background of the ineffable blue of the Arctic sky. Life returns after the long twilight of winter.

There exists a carving of one of the spiders. It was worked in ivory before 1910. It is a spider with the head of a man. This carving represents the spirit of the spider people and is an example of the not unusual predilection of the Eskimo to see the gods in his own image.

Eskimos do not as a rule evince interest in landscape art. Their poetry is not nature poetry. Their songs do not praise the beauty of Earth. Their art speaks of nature only as it is related to human life. The land appears merely as a mild allusion, such as one may see in scenery used by a ballet company that has to travel light, as the Eskimos do.

There are, however, some few exceptions. Eskimos carve in ivory to give the impression of a tree. Into the trees they put birds, ivory birds, but these are several times larger than the tree in which they sit. To the Eskimo the birds, representing food, are more important than the tree, which is an Arctic willow and of relatively little use.

Through the arts, man records the story of his life. In this endeavour to seize upon immortality the Eskimo people have not been different from other races. They have had less means of expression but not less power. From the artifacts found in old dwellings, archeologists today are piecing together the history of the Eskimo past, revealing the splendour and determination of the human spirit as expressed through this unique race.

Little indeed appears in the creative art of the Eskimo people that does not concern itself with central problems of life: the hunt, creatures of the hunt and their spirit world, dying, and having children.

The Eskimo once made small carvings of animals and various creatures of his world when he was hungry. His purpose was to please the spirit of the animal, in the mystical hope that it would materialize, ready to be taken. Embellishment of certain tools of the hunt was intended to please the spirit of the desired animal. Ritual surrounded action after the hunt. It is yet possible, in certain communities, to hear a hunter utter phrases of gratitude to its spirit on successful killing of a polar bear which, even with modern weapons, is an animal to be reckoned with.

Perhaps also, when in dire straits and deep hunger, the hunter may make a carving of a seal and find a certain vicarious physical satisfaction in his aching belly.

In the water we find upraised, a strong head — perhaps the head of a sea god, or demon. The Eskimo hunter, filled with fury, has pierced the god in the eye with his harpoon. It would seem to be a ghastly business, but the interpretation of the carving in the Eskimo way of thinking is humorous. What, in effect, has happened? The hunter has just spent the morning stalking a seal. Expending much energy and effort when the moment has come to cast his spear, he has made a wrong movement. The seal escapes. At this point, the sea spirit has risen from the waves jeering and laughing. "What a poor hunter is Kudluk", he says, and Kudluk, thus goaded, hurls his spear.

Another interpretation is possible. It is clear in the mind of Kudluk that he has made a fool of himself by spending so much time hunting and in the end losing his quarry. He knows he may be laughed at by his close friend or by his brother-in-law. He sees himself spearing his tormentor. When, in his carving, he causes that tormentor to rise from the sea, he recalls that it was on the sea and at a certain time and place when the incident occurred.

Many Eskimo carvings are related to the hunt. The hunt has been, and remains today, for Eskimos the principal experience of life. The Arctic prohibited growing of food, although modern technique could make that possible. Animal husbandry was unknown. The people were forced to follow the movements of wildlife which were dictated by climatic conditions varying according to the season. Caribou, for example, moving north from the tree line in the spring, were driven to the Arctic littoral to escape the mosquitoes, then returned south in the autumn to winter there. Movements and migrations of seals were subject to ice conditions which were unpredictable from season to season, subject often to action of the winds as well as to sea current.

The Inuit, which in English means *the only people,* were at the mercy of indecisive natural forces over which they had no control. These forces seemed deliberately unfriendly to man. Eskimos vested them with active and evil intelligence. The hierarchy of the Eskimo pantheon is inhabited, almost exclusively, by spirits having diabolical intent. Considerable attention was paid to placating such spirits.

The Inuit developed a fine knowledge of the living creatures of the sky, the sea and land. Years spent in observation of their habits gave them an understanding which is clearly depicted in the art of the Eskimos.

If you want to catch an eider duck, says Eka Willie, you have to know what he is going to do next. If you want to know what he is going to do next, you have to know what the bird is thinking. Many remarkable carvings express more than form or action. They delineate attitude of mind and depict the intention of bird or beast.

The man who is able to perceive these things is, in the Eskimo world, considered a good hunter in the sense that we speak of a good provider in ours. It is not without reason that many of the finest artists among the Eskimos have been and are the best hunters. The life of activity and adventure in the hunt informs their art. Such art springs from thoughts arising in the long hours of waiting that attend the hunt, and from the many dangers and discomforts to which the hunter is exposed.

His life and character

The Eskimo has a long memory. This is perhaps because his life follows a comparatively simple course. Certainly, it is singularly lacking in the variety of distractions of a kind which assail the minds of men in more fortunate civilizations. In consequence, every strange thought and dream is treasured. Each unusual remark, act, thing, is held onto, to be recalled in periods, especially in winter, when one cannot move about. In those long hours of storm, locked in the snow house, when boredom is as oppressive as the night, these thoughts in the mind are brought to the surface to be discussed, analyzed, dissected.

This singleness of purpose in thought is one source which brings to contemporary Eskimo art its strength and, in some works, its sublimity.

Part of the charm of the Eskimos is that in groups, or singly, they are almost always in trouble of one kind or another. Getting into trouble, at least of certain kinds, is usually a sign of vitality. To these people, those who consciously seek to avoid difficulties are often rather soft. Trouble for them can be serious indeed, but if one is often getting into trouble, there is an item of equipment that is indispensable. Julius Ceasar said there are three things necessary to success: good luck, fortitude, and courage. He omitted a sense of humour. This is a rare gift which the Eskimos have in full measure, although they don't have too much luck.

Josephie Kudluk was notorious for being swept out to sea in his kayak and being lost for days on end. This is not surprising on waters where sea-drift and the winds are unusually active. He had close calls, but he shrugged and laughed at them.

Noah liked to collect small radios, had indeed acquired several, none of which would work. He received a catalogue from the south and conceived the idea of buying a grand piano. He was at the time quite well off and felt that a grand piano would prove to be a useful status symbol. It could not fit into the little hut where he lived, although he was such a resourceful man this would not have deterred him. By dint of considerable effort, Noah was dissuaded from the grand piano with the idea of buying an accordion, something more practical, without loss of face.

Of all the arts of the Eskimos, their music has been most ignored. Little attention has been given it except by a few devoted people who have sought to collect the old songs.

At Kayak Bay an experiment was made in an attempt to discover where the interest of the Eskimo in music lay. There was an old Victor wind-up gramophone and ten records ranging from hoe-down music, through American Negro folk song, to a piano concerto by Beethoven. After the simpler music had become boring the Beethoven concerto survived. The following year, the Eskimos asked to hear the records again. By then they had selected a number of melodies from Beethoven, had syncopated them to their own liking, and were singing them on the trail to their own words.

Such tales are legion and form part of table-talk in any house, white or Eskimo, in the Arctic.

So much has been written about the tragic side of Eskimo life, that the humour, the joy of living, and the real and genuine affection which exists among the Eskimos towards themselves and others is almost totally unknown, but this also informs their art.

Sculpture

Eskimos make carvings of seals standing on their heads and on the heads of walruses. They make carvings in which men and women and creatures are involved together. They are not totems. They represent early experiences, perhaps many hundreds of years old, perhaps thousands, which have been handed down through the generations. They have always a certain validity in nature in the Arctic and to man's relationship with nature. It is dangerous to read too much into works of art made by Eskimos. If they are beautiful that is often enough. If they are both beautiful and at first seemingly incomprehensible, some degree of understanding is possible, when one is prepared to divorce from the mind all preconceived misconceptions about Eskimo civilization. Although it was almost entirely different in every respect from the civilizations we know today, it was nevertheless distinctive. The Eskimos achieved a culture within the limited means at their disposal, a way of life, which despite the difficulties, has endured a good deal longer than many with which we are more familiar. The economic aspect is part of the history of their art. The form that Eskimo art takes today derives from religious customs having to do with daily life in the most remote past, without which there would be no contemporary Eskimo art.

In prehistoric times, material such as antler, ivory, well-seasoned whalebone, musk-ox horn, whale and walrus teeth, driftwood and stone were made into tools and weapons. Soapstone was used for cooking pots, seal-oil lamps, skin-scrapers and various other tools.

Carving tools were often made from the same material as that to be carved. For engraving, perforating, a bow drill was made from bone or antler, or even ivory, together with a thong of sinew or skin. For a smooth surface and fine polish, sandstone, dust and oil were rubbed against the finished object.

The Eskimo, before the coming of the European, worked by rubbing, chipping, scraping and gouging his materials. For converting rough materials into useful objects, carving was the only method known. In consequence, to make tools and weapons which could enable him to survive, every Eskimo hunter had to learn to carve expertly. This skill they learned from childhood, from their parents.

The Inuit were not always satisfied with merely making the form of a useful object. More often, objects were incised with meaningful designs or pictographs. These decorations had mystical connotations for the early Eskimos. They were as numerous as the spirits which they believed inhabited the earth, sky and sea. From their folklore, it can be ascertained, for example, that the seal spirit would be offended if one of his flock were slain by an ill-made harpoon, lacking in decorative design. It was evident that if such an insult were offered to the seals they would leave, and the guilty hunter would be left destitute. In an animistic, religious cult, such as that of the Eskimo, such attitudes are not surprising, nor are they unique. Their religion imposed an extraordinary number of taboos, which had to be dealt with in various ways and by certain recognized methods, clearly stated by tradition, as often as not by the *shaman,* who had the power to exorcise the spirits, in certain circumstances, in a specific time and place.

There were two purposes intended in the wide range of mystical objects developed by the Eskimo. There was, first, the function performed by amulets as a defence against troublesome *tornraks,* goblins, spirits, as they were variously called. These amulets, in some areas, were made especially for children, to ward off the numerous evils which could befall them. There is record of a boy wearing as many as fifty amulets on his outer garment, each for a specific purpose.

The second purpose concerned itself with the making of objects which would bring food. These objects are to be found in the earliest ruins. Charms we should call them today. They are miniatures representing the forms of the animals which the hunter wished to catch. The Eskimo, in pre-Christian times, like men in many societies, thought that by making the image of the animal he desired, he could charm it into being caught. This is one origin of contemporary Eskimo sculpture. If any of the old feeling exists today it is usually carefully concealed.

It is worth noting that the Eskimos now rarely make amulets, although the fringes on which they used to hang them may still be found occasionally in the decoration of garments.

The making of carvings continued. The carvings seemed still to perform their original function, to attract the means of sustenance to the household. In this, there appeared to be nothing irreligious in the Christian sense, and although the carvings might have lost some of their magical qualities in the minds of the people, they still worked the old magic, helping to procure food. To the logical mind of the Eskimo, perhaps with the aid of some mental somersaults, the results seemed the same. He continued carving and the art fortunately persisted.

This transition did not take place at once. It is still in process in some areas, for one does not erase the superstition of millennia in a day. The Eskimo now carves to bring food, with the same approach, for all practical purposes, as did his remote ancestors. The medium of prints has enabled him to recreate the denizens of the old spirit world which still survive in memory, myth and legend.

His attitude towards art

Eskimo art and the white man's education are not necessarily mutually exclusive. This has been proved in Baker Lake where, in the past few years, there has taken place another outburst of the creative spirit, and again at Holman. Eskimo artists will continue to carry on in their own directions, provided they are given encouragement and are not laughed out of it, which of course could happen. A similar awakening of interest in the arts has occurred in several other communities, such as Bathurst Inlet, Pangnirtung, Povungnituk and Port Burwell to mention only a few.

It is true that many craftsmen, who are not artists, are making carvings which are lacking in impact. Such men,

in their economic situation, have little choice. Most of them, when they find other employment or when sealing is good, abandon carving with considerable relief.

To understand the Inuit, to be able to approach their art, one cannot stand afar off, looking at them from pinnacles of pride rising, without knowledge of their background, from values developed in much different surroundings. Indeed, there is very little we can bring from our own experience to an understanding of the Eskimo creation, unless we are willing to go back to our own beginnings. We can, however, bring a certain affection and willingness to listen and observe. Then, and only then, can the Eskimo communicate with us. This is difficult, because it is not easy to talk abstract values across the language barriers. One must, therefore, count on the arts.

It should not be concluded, however, that the Eskimo is entirely reluctant to discuss art in an objective way.

The Inuit, however, have no jargon in their language with which to discuss art. They do not have escape clauses such as: "very interesting!" and so on, which depend on inflection to convey a degree of esoteric thought, which does not exist. To the Eskimo, what the eye sees must be obvious and, therefore, not worth discussion. What the eye does not see perhaps does not exist and is even less worth discussion. In the same way, for example, in Mamusualuk's carving the woman has no hands because they would have been superfluous. They are left out to the considerable advantage of the composition.

Unmitigated praise is another matter. There are some remarkable words in the Eskimo language which permit the exchange of compliments. Since it is possible to give a compliment in degree, it is also possible to damn with faint praise. The Eskimo knows very well to what extent his sculpture is good, bad, or indifferent. He does not expect one to insult his intelligence by telling him what is wrong with it. One praises what is good and leaves the rest to him. This formula, applied with tact, can do wonders in bringing the Inuit close to oneself. It is of course full of pitfalls for the unwary.

One may often wonder what the individual Eskimo artist thinks about his work when it is shipped away from his Arctic home. Our own writers and artists sometimes speak of this question in autobiographies and have differing attitudes. One can only say that the Eskimos remember.

Development of markets

One of the most important events in terms of the economic life of the Eskimo artists has been the development of co-operatives, the first of which was formed in 1959. In

1965, at the request of a conference of the co-operatives, a central marketing agency outside the Government of Canada, was formed to carry on the work which had been previously done by the Government. Incorporated under the Canada Companies Act, 1st October, 1965, Canadian Arctic Producers Limited is a non-profit organization headed by a six-man board of directors, one member of which is a Federal Government officer.

In Quebec, La Fédération des Coopératives du Nouveau-Québec, at Lévis, is the distributor of Eskimo art for the Eskimo co-operatives in Nouveau-Québec.

From as early as 1910, the Canadian Handicrafts Guild had sought to interest the world in the carvings of the Eskimos, but few people travelling in the north collected them. Those southerners who lived there were considerably less than impressed, or interested, in anything the Eskimos could do except hunt for peltry. The effect of this attitude brought cataclysmic changes to the order of Eskimo life. To examine these events here would be a digression into history, which may be read elsewhere, but it was not until 1949 that Eskimo art was at long last recognized.

For the first time, Canadians heard the names of the Inuit; strange sounding names with a compelling beauty, of men and women who were soon to become famous in the realm of Canadian art: Lukta, Munamee, Innukpuk, Sheroapik, Kalingo. This also is history, but it is still an amazing episode, in that the recognition of the carvings was so sudden and also so complete within one year, after decades of oblivion.

All the ancestors of the Inuit collectively, looking down or up from the various degrees of heaven to which they are supposed to have gone, could hardly have hoped that the magic of their carvings would ever succeed in bringing such good fortune to their descendants, nor that it would come, almost by chance, at the hands of one young artist, roaming in the Arctic.

When, in 1949, James Houston first saw the Eskimos at Inoucdjouac (Port Harrison), on Hudson Bay, and their carvings, his recognition of the virtues of the Eskimos and their art was immediate. He was a white man pre-eminently suited, by virtue of his own character and experience, to inspire the confidence of the people. Such confidence as they possessed lay in their knowledge of themselves as hunters, uniquely able to handle them-selves in the Arctic. Any other confidence, such as that of personal judgement, or expression of Eskimo thought, and particularly Eskimo thought expressed in art, had been shattered in the course of the past hundred years since the coming of the whalers. Houston's sympathetic appreciation of the artist in the Eskimo, and his under-standing of their approach to their art, worked out a pat-tern of a new relationship between the white men and the Inuit which proved by events, in subsequent years, to be one of the most happy developments in the history of art, perhaps anywhere, and certainly in Canada.

The first exhibition of carvings was sponsored in 1949 by the Canadian Handicrafts Guild in Montreal. The col-lection was sold out in three days.

In succeeding years, the government department, which is now the Department of Indian Affairs and North-ern Development contributed grants totalling more than thirty thousand dollars. Houston was enabled to travel to many Arctic communities which have since become household words among Eskimo art collectors — Povung-nituk, Saglouc, Dorset, Pangnirtung, Baker Lake. Every-where, he found evidence that the creative ability of the Inuit was universal among them. The Canadian Handi-crafts Guild continued to sponsor the presentation of Eskimo carvings, and later joined with the Hudson's Bay Company and the Department of Northern Affairs and National Resources in the arrangements for the collec-tion of carvings in the Arctic, and their distribution and sale in the south. The economic success of the carvings was assured by a workable system which, with some modifications, continues to this day.

In the middle of the last decade, imitations of Eskimo carvings began to appear on the Canadian market. As an aid in helping people generally, and to protect legitimate dealers, and others who could not be expected to have expert knowledge of the art, an identifying trade mark was established. The mark has served its purpose and will continue to do so for people seeking genuine Eskimo art.

The prints

One of the most pleasing sounds in the ears of the Inuit is the arrival of the first heralds of great migratory flocks of the Canada grey goose. When they are going north in the early spring, the excited geese, anxious to get to their nesting grounds, push their luck for all it can stand. They cannot survive if they land before their feeding grounds are released of snow. In seasons when the spring is late, the birds must rest in lakes further south, and wait.

It was a fine May morning, some years ago, when an Eskimo camp, half buried in spring snow, by the moun-tainous shore ice on an Arctic coast, broke out in shrieks and yells. There was pandemonium of a kind which only the Eskimos can create. Children rushed from the tents naked and, hugging one another, rolled in the snow. Young men hastily dressed and rushed out of doors. Old ladies, unable to move from the tent, talked volubly. The eyes of young mothers glowed in the warm blue and orange light of the *kudlik,* or seal-oil lamp.

There in the sky, making a similar racket, heading due north, was a fine flock of geese flying in perfect forma-tion. Not for seven months of Arctic night had there been so much noise.

After the first flock had passed, the people returned to their tents (tents, for in May the snow houses are already melting) to have the morning mug-up and to discuss plans of action for hunting geese. Fresh food for the first time, since last September, something besides fish and more fish! But, in the camp there is sudden silence among the young hunters. Frustrated, they stare at the ground and will not look in the eyes of anyone. It would be rude to show their anger and annoyance but word has got about that the old men say the geese have made a mistake and must return south.

Tension envelops the camp and the children run to the hills around, call to the birds, imitating them with such perfection that one would think the place was infiltrated with geese. The day passes slowly, no more geese come north, but in late afternoon there is pandemonium again. Here come the geese, going south. They are flying safely enough, just out of reach of gunfire, but the young men in their excitement shoot at them anyway. After it is all over, the Eskimos calm down and shrug their shoulders say-ing: "Well, they've got to come back sooner or later."

That night there is a big blizzard, which more or less explains everything.

This incident is not related to the precise source of the famous print by Tudlik *Bird Dream Forewarning Bliz-zards,* but it is the kind of experience which inspires such works of art. In the old days, the Eskimo would have considered that a particularly diabolic spirit of the air had driven the geese back to make the Inuit suffer. There would have been a shamanistic effort to exorcise that spirit. Today, the Eskimos sit with Christian resignation and hope that things will get better, although there may be a little sublimated activity on the side.

Those prints which have mystical connotations are based on incidents of this kind. Often, they are representations of legends which have been handed down for many hundreds of years. Archeology, in the Canadian Arctic, is leading us to an understanding of the origin of many of the myths on which the prints are based.

It is not for nothing that the grey goose turns up in various forms and in many different situations. It is a most valued bird and the Inuit quite naturally delight in representing it, sometimes in an uncomplicated straightforward way as a pleasing object in itself, as in Eejyvudluk's *Running Goose.*

It is a "goose chase" and, as everyone knows, this is a phrase which means that nothing could be more absurd. In August the geese are flightless, moulting. They gather in large flocks in sequestered areas of muskeg, where it is next to impossible to reach them. The Eskimos prefer to leave the birds alone at this time for they, prizing geese highly, realize that they are raising their young in preparation for migration. Nevertheless, it is considered great fun to chase the birds, to make them run. It is good exercise for the Eskimos, as if they needed it. The geese can go like lightning; they scatter. They are in dull plumage and have perfect camouflage. The Eskimos run until they drop, suffocated with laughter. It is such a happy scene of Eskimo life that this print evokes. The outstretched neck and head, the rather wildly flapping useless wings and the vital movement in the legs combine in three cardinal points to explain the confusion, lightning speed, and the determination of this remarkable bird to escape. As a design, the print represents a triangle, tipped like a pyramid on the edge of a precipice, in which situation the goose truly finds itself.

Much might be learned concerning Eskimo art from Tudlik. The story is that many years ago his wife, who was confined to her tent, a victim of poliomyelitis, lost her life when she was alone and husky dogs broke in upon her. Tudlik's print is called *Division of Meat.* It is an extraordinary design and at first glance appears to be symmetrical. There is, in fact, not a line in it that corresponds with its opposite. Each element is tortured and twisted, but all are brought together as a collection of segments to form coherent composition.

Not all the prints need to be approached analytically.

They should be enjoyed for their own sake. Many of them are simple, pleasing, colourful designs, in which objects are arranged in such a way as to delight the eye. Others, in which the Eskimo predilection for understated realism occurs, such as in the work of Parr, are perhaps more difficult. The simplicity is so deceptive that his animals appear to be infantile. They are not. They are alive and possess a vitality that no child could achieve.

If the beauty of Eskimo art in its various forms is to be fully enjoyed, it must be seen in context of the unique culture from which it springs. It is not just a question of what the sun means to all other men. It is a matter of what the sun means to Kenojuak.

The Eskimo people from the earliest times had no concept of a god of love. The archeologists have found no evidence of this. The Arctic is not a friendly place for mankind; no cocoanuts fall from trees. Inuit have to keep their wits about them to keep alive, despite all the paraphernalia to which they have been introduced. From the beginning, the place had been infested with spirits which sought to do them in.

True, there were benign spirits such as the sun, but the Eskimo people did not waste time on the good influences, which they assumed could take care of themselves, while they were busy fighting the spirits such as that of the blizzard which drove back geese. Of these the moon was another, more or less on the fence, and to them the moon was masculine gender.

They had learned by observation that the moon could affect the tides, and this was important, inasmuch as the tides affect the movement of ice and this in turn could have disastrous results on the seal hunt. He, that is the moon, was not a particularly helpful spirit, and certainly not very helpful as a light in the Arctic night, when at the full.

The sun, on the other hand, known to all men as the source of life, was feminine in gender. This interpretation of the sun as female corresponds with interpretations given the sun at different times in the history of western man, since the earliest beginnings.

Kenojuak's original theme, therefore, is the Woman who lives in the Sun. It appears at first glance a pleasant, smiling face with a slightly sardonic expression. Two details are important, however. Firstly, the exaggerated, white, concave parallelograms under the mouth are the chin tattoo marks of an Eskimo woman. Secondly, the teeth also are those of an Eskimo woman. They exhibit perfect dentition, but the lower incisors are beginning to wear down as the result of excessive use in chewing skins. There can be no doubt about the racial origin of the lady in this sun.

In other prints by Kenojuak the sun spirit appears not alone but in relation to her effect upon life on earth. These can be variously interpreted but the *Arrival of the Sun* seems self-evident. The arrival of the sun in the Arctic is a thing wonderful to behold. We ourselves experience something of this feeling when she comes out, after we have had several days of rain in mid-summer; when holidays are ruined and the crops are drowned. The creatures in the sunlight present themselves. They exhibit the pleasure that life everywhere, except nocturnal beings, takes in her light. Not content with light alone, Kenojuak, with ease, envelops the creatures in a penumbra of the sun, which conveys the idea of the heat and warmth that ensures the preservation of their lives. Their wings wave high in the air and their pinions flutter behind their backs. They move their feet, they dance, shaking their bodies in the dance of life.

Conclusion

In a medical report from Pangnirtung, Baffin Island, J. A. Bildfell, in 1934, wrote of the Eskimo civilization of that region as: "A culture which the environment stimulated, but which at the same time was its limitation; and this culture is evidence of a relatively advanced mentality. As primitive people who enjoyed some development, they formulated a logical religious and social morality. Here, the environment served also to intensify, and to make more inelastic, and so with the advent of the white man we are confronted with an absolutely static society. Mental development has reached what appears to be a limit."

Toynbee defines the Eskimo people as an arrested civilization and adds: "The penalty which the Eskimos have had to pay for their audacity in grappling with the Arctic environment has been the rigid conformation of their lives to the annual cycle of the Arctic climate. All the bread winners of the tribe are obliged to carry on different occupations at the different seasons of the year, and the tyranny of Arctic Nature imposes almost as exacting a time-table on the Arctic hunter as is imposed on any factory worker by the human tyranny of 'scientific management'. Indeed, we may be inclined to ask ourselves whether the Eskimos are the masters of Arctic Nature or her slaves."

Toynbee also includes the Eskimo people with other societies "which are all in process of being incorporated in so far as the social radiation of western civilization is not destroying them outright."

Three decades have elapsed since these observations were made. They can, presumably, be accepted without argument. It is worthless to consider what the fate of the Eskimo race might have been had it not been confronted by the challenge of western civilization. These people can be said to have responded to the challenge in a positive way. There has, in fact, been a renaissance of the Eskimos. Their numbers are increasing. Their health has improved. They accept technology with vigorous interest.

Above all, in the arts, they have shown that they are a vital and progressive people. It has been a great achievement in a short period of time. The world has watched with fascinated concern.

Each time a collection of carvings coming down from the Arctic is opened, one may find the finest sculpture yet made. Opening shipments of carvings newly arrived from the Arctic is a very exciting experience indeed.

One might discuss the prints in the same terms, but this is scarcely necessary. Some explanation of current trends in the sculpture is desirable, but the continuing standards of quality to be found in the prints is not questionable.

While the revenue from the arts and crafts has indeed been worthwhile, and some individual artists have done quite well, it has added only a slight contribution to what is needed for all the Eskimos to achieve any degree of freedom from their environment. The benefit derived from the arts has been in other directions, equally important. Their arts have established the Inuit, in the minds of men, as a first-class and creative race, a reputation which they did not formerly enjoy. They were rather considered an amusing curiosity. They have, fortunately, been saved from the fate of some little-known, recessive people who have been exhibited alive in the past, in such places as the Crystal Palace in London.

Whatever may become of the Eskimos in the next few generations, it is clear that this generation has created a body of art which will survive.

These men and women have set an example which Eskimo youth in the future will return to emulate. Young artists will be distracted for a time by the blandishments of our civilization. When they have learned enough of western art, which they are being taught today in the schools, they will return to examine the arts of their parents.

The Eskimo people are not resisting the arrival of western civilization in their midst. They are advancing toward it. It should be made possible for them to bring much of the bag and baggage of their own civilization with them: language, music, their arts and modes of thought which can be ennobling contributions to Canada. Whether, as they make this new migration, the nomadic Eskimos achieve it safely, rests with all Canadians.

16

L'art des Esquimaux du Canada

Mes bras s'élèvent haut dans les airs.
Mes mains battent derrière mon dos
Comme ailes d'oiseau;
Elles palpitent au-dessus de ma tête
Comme ailes d'oiseau.
Que bougent mes pieds, que je danse, que
Je hausse les épaules,
Que je secoue mon corps.
Mes bras, que je les plie;
Que je m'accroupisse;
Que je place mes mains sous mon menton.

J'ai envie de rire, moi, parce que mon traîneau est cassé,
Parce que ses côtes sont rompues j'ai envie de rire.
Ici à Talaviuyak j'ai trouvé une glace inégale,
J'ai été renversé.
J'ai envie de rire. Ce n'est rien dont on doive rire.

Chansons de l'ouest de l'Arctique
chantées par Unalina et Cukaiyoq
(d'après la version anglaise de
Diamond Jenness, Expédition dans
l'Arctique canadien, 1913-1918).

Au mois de mai, souvent le mois le plus chaud de l'année dans le Grand Nord canadien, des araignées se promènent sur la neige étincelante qui recouvre encore les lacs. Des chenilles se glissent sur la crête des énormes amoncellements de neige qui commencent à fondre au souffle chaud du Sud. Les rayons éblouissants du soleil, réfléchis par une épaisse couche de neige moelleuse, forcent les Esquimaux à se munir de lunettes. Les premiers vols d'oies blanches se détachent, tels des esprits bienfaisants, sur le bleu du ciel arctique. La vie renaît après la longue nuit hivernale.

Un artiste inconnu a sculpté dans l'ivoire une de ces araignées. La pièce est antérieure à 1910. La tête est celle d'un homme, car cette sculpture représente l'esprit de l'araignée. L'Esquimau tend en effet à voir les dieux à son image.

Il ne s'intéresse guère, en général, au paysage. Sa poésie n'est pas une poésie de la nature; ses chants ne célèbrent pas les beautés de la terre. Son art ne traite de la nature qu'en rapport avec la vie humaine. La terre n'est que suggérée — simple convention de théâtre.

Il y a cependant des exceptions. A l'occasion, l'Esquimau sculpte un arbre d'ivoire. Il y met des oiseaux d'ivoire, mais beaucoup plus gros que l'arbre où ils sont perchés. Les oiseaux comestibles sont beaucoup plus importants que l'arbre, saule arctique à peu près sans utilité.

A travers l'art, l'homme cherche à se raconter et à s'immortaliser. L'Esquimau n'est pas différent des autres hommes. Il s'exprime avec moins de moyens, mais non moins de force. Les pièces trouvées par les archéologues leur permettent de reconstruire le passé de l'Esquimau; elles témoignent de la ténacité de l'homme dont ce peuple unique offre un exemple splendide.

Il n'est guère de thèmes de l'art esquimau qui ne soient reliés aux problèmes fondamentaux de l'existence humaine: la chasse, les bêtes et leurs esprits, la mort et la naissance.

Autrefois, c'est la faim qui poussait l'Esquimau à sculpter les créatures de son univers. Sortilège pour plaire à l'esprit de l'animal et faire apparaître la proie devant le chasseur. De même, l'ornementation de certaines armes devait honorer l'esprit de l'animal, tout comme les rites qui suivent la capture. Encore aujourd'hui, dans certains villages, le chasseur remercie à haute voix l'esprit de l'ours polaire qu'il vient de tuer — car même avec les armes modernes, une telle chasse n'est pas sans danger. Peut-être aussi, quand la faim le tenaille, le chasseur trouve-t-il une forme d'assouvissement à sculpter un phoque.

Certaines oeuvres, cependant, exigent une autre explication. On voit, par exemple, une tête puissante sortir de l'eau: tête de dieu ou de démon marin, dont l'oeil est percé d'un harpon. La scène peut nous sembler horrible, mais dans la perspective de l'Esquimau, elle est comique. Que représente-t-elle? Le chasseur passe toute la matinée à l'affût d'un phoque. A la minute de vérité, il fait un faux mouvement; le phoque lui échappe. L'esprit marin émerge des eaux, en se moquant: «Quel mauvais chasseur que ce Kudluk!» Piqué au vif, Kudluk lance son harpon.

Une deuxième interprétation est également possible. Kudluk est bien conscient de s'être rendu ridicule en passant tant de temps à l'affût pour finalement manquer sa proie. Il sait qu'on se moquera de lui. Que ce soit son ami ou son beau-frère, quelqu'un s'en chargera. Il se voit donc harponnant son tourmenteur. Si, dans la sculpture, le mauvais plaisant sort des flots, c'est que l'incident s'est produit sur la mer, en un point donné du temps et de l'espace.

Nombreuses sont les sculptures esquimaudes qui ont trait à la chasse, car elle a été et demeure encore pour les Esquimaux le grand événement de la vie. Les terres arctiques ne se prêtent guère à l'agriculture, bien que certaines techniques modernes la rendent maintenant possible. L'élevage est inconnu. Les hommes doivent suivre les migrations de la faune, dictées par la variation saisonnière du climat. Les caribous, par exemple, fuient au printemps vers le Nord jusqu'au littoral de l'océan Arctique pour échapper aux moustiques, puis reviennent au Sud à l'automne pour l'hiver. Quant aux phoques, leurs déplacements sont réglés par l'état imprévisible des glaces, celles-ci étant soumises aux vents et aux courants.

Les *Inuit,* en français «le seul peuple», à la merci de forces naturelles capricieuses et hostiles, ont tôt fait de leur attribuer une intelligence active et mal intentionnée. Leur panthéon est peuplé presque exclusivement d'esprits mauvais qu'il s'agit d'apaiser.

Les Inuit ont dû apprendre aussi à connaître les créatures de l'air, de la mer et de la terre. On voit clairement dans leur sculpture le fruit des années passées à observer les habitudes de ces animaux.

Selon Eka Willie, si l'on veut attraper un eider, il faut savoir ce qu'il va faire. Si l'on veut savoir ce qu'il va faire, il faut savoir ce qu'il pense. Mainte sculpture remarquable exprime plus que la forme et le mouvement. On peut y lire la psychologie, les intentions de l'animal.

Dans le monde esquimau, celui qui peut percevoir ces choses est assuré du succès à la chasse, ce qui équivaut dans notre monde à la réussite sociale. Ce n'est pas un hasard si plusieurs des meilleurs artistes esquimaux sont aussi les meilleurs chasseurs. L'activité et l'aventure de la chasse inspirent leur art. Cet art prend sa source dans les pensées qui surgissent au cours des longues heures que le chasseur passe à l'affût, sans confort et face aux dangers qui le guettent.

L'Esquimau — Sa vie et son caractère

L'Esquimau a la mémoire longue. C'est peut-être parce que sa vie n'est guère compliquée. Elle est en effet singulièrement dépourvue de tous ces divertissements qui assaillent l'homme des civilisations plus fortunées. Par conséquent, on thésaurise chaque pensée ou chaque rêve qui sort de l'ordinaire. Toute remarque, action ou chose inusitée est mise en réserve pour les périodes d'immobilité forcée. Quand la tempête fait rage, emprisonnant les habitants de la maison de neige dans l'ennui et l'obscurité, ces pensées reviennent à la conscience et sont longuement étudiées et analysées. Cette faculté explique en partie la puissance de l'art esquimau contemporain et le sublime de certaines oeuvres.

Le charme du caractère esquimau provient pour une part de son aptitude singulière à s'attirer des histoires — ce qui est très souvent signe de vitalité. Ceux qui cherchent consciemment à éviter les difficultés passent pour des faibles. Leurs ennuis sont souvent graves mais ils possèdent une qualité indispensable pour y faire face. César disait qu'il fallait trois choses pour réussir: la chance, la force d'âme et le courage. Il oubliait le sens de l'humour. Ce don si rare a été octroyé en abondance aux Esquimaux, sans doute pour compenser les rigueurs de la fortune.

Mais quelques anecdotes révéleront mieux la caractère esquimau que de longues analyses psychologiques.

On cite souvent le cas de Josephie Kudluk qui, à maintes reprises, a passé de longues périodes perdu en mer dans son kayak. Le fait n'a rien d'étonnant vu la violence des courants et des vents. Kudluk l'a plusieurs fois échappé belle, mais il se contentait, à chaque mésaventure, de hausser les épaules en riant.

On raconte aussi l'histoire de Noé, qui s'était constitué une collection de petits postes de radio, dont aucun ne fonctionnait. Un jour, en feuilletant un catalogue, il conçut l'idée d'acheter un piano à queue. Il était à l'époque relativement riche et croyait que la possession de l'instrument rehausserait son prestige. Il est vrai que le piano n'aurait pu entrer dans sa petite hutte, mais une difficulté si minime ne pouvait arrêter un homme de sa trempe. Il a fallu de longs efforts pour le convaincre de remplacer

Caribou, Winter Light. 1959
Skin stencil
Niviaksiak
Cape Dorset

Caribous dans la lumière d'hiver. 1959
Estampe au pochoir de peau
Niviaksiak
Cape Dorset

l'encombrant piano par un accordéon, en sorte qu'il pût sauver la face.

De tous les arts esquimaux, c'est la musique qu'on connaît le moins. Seuls quelques spécialistes passionnés ont tenté de recueillir les vieux airs.

Une expérience tentée à Kayak-Bay nous éclaire un peu sur les préférences musicales des Esquimaux. Il y avait là un vieux phonographe à manivelle et une dizaine de disques très variés: un concerto de Beethoven, des chants nègres d'Amérique et des danses folkloriques nord-américaines. Bientôt fatigués des airs populaires, les Esquimaux s'intéressèrent au concerto. L'année suivante, ils redemandèrent à entendre les disques. Ils avaient retenu certaines mélodies de Beethoven dont ils avaient fait des chansons de route avec des paroles et un rythme de leur cru.

De telles histoires courent l'Arctique. On parle trop de l'aspect tragique de la vie esquimaude et l'on néglige l'humour, la joie de vivre et l'affection vraie et sincère de l'Esquimau pour ses compatriotes et pour les autres humains. Pourtant, cela aussi est la matière de leur art.

La sculpture
Les Esquimaux sculptent des phoques se balançant tête en bas sur la tête des morses. D'autres oeuvres présentent des hommes, des femmes et des animaux ensemble. Il ne s'agit pas de totems, mais d'expériences vieilles de plusieurs siècles ou de plusieurs millénaires, transmises de génération en génération. Elles traitent toujours de la nature et des rapports de l'homme avec la nature. Il faut se méfier des interprétations savantes des oeuvres d'art esquimau. Souvent, leur beauté en est la seule explication. Une oeuvre à la fois belle et incompréhensible au premier abord peut se comprendre, au moins partiellement, à la condition d'oublier tous les préjugés sur la civilisation des Inuit.

Bien que très différente de celle que nous connaissons aujourd'hui, la civilisation esquimaude primitive est néanmoins très remarquable. Malgré les moyens limités dont ils disposaient, malgré toutes les difficultés, les Esquimaux ont créé un mode de vie, une culture qui a vécu beaucoup plus longtemps que d'autres pourtant mieux connues. Ce mode de vie, tant par son aspect économique que par les coutumes religieuses liées dans les temps anciens à la vie quotidienne, constitue une source directe de l'art esquimau contemporain.

A l'époque préhistorique, les bois de cervidés, les os de baleines, les cornes de boeufs musqués, l'ivoire, les fanons de baleines et les défenses de morses, le bois de grève et la pierre étaient transformés en outils et en armes. La stéatite servait à fabriquer les lampes à huile de phoque, des ustensiles de cuisine, des couteaux à gratter les peaux et divers autres outils.

Les outils du sculpteur étaient souvent faits de la même matière que la pièce à sculpter. Pour buriner et percer des trous, on confectionnait une perceuse à arc en os, en bois de caribou ou même en ivoire, avec une lanière de nerf ou de peau. Pour adoucir et polir la surface de l'objet fini, on le frottait de grès, de poussière et d'huile.

Avant la venue des Européens, l'Esquimau n'avait d'autre ressource que la sculpture pour se fabriquer des objets utiles. Pour fabriquer les armes et les outils qui lui permettaient de survivre, le chasseur esquimau devait apprendre à sculpter dès l'enfance. Il lui fallait frotter, faire éclater, gratter et creuser ses matériaux.

Mais il ne se contentait pas toujours de fabriquer des formes utiles. Le plus souvent, il gravait sur ces objets des dessins qui avaient, pour l'Esquimau primitif, une signification mystique. Ces dessins étaient aussi variés que les esprits qui, selon lui, peuplaient la terre, le ciel et la mer. Il croyait, pour citer un exemple, que l'esprit des phoques serait offensé si l'un d'eux était tué par un harpon laid et mal fait. Il était évident qu'une telle insulte causerait le départ des phoques, au grand détriment du coupable. Dans une religion animiste comme celle des Esquimaux, de telles croyances ne sont ni étonnantes ni uniques. Leur religion leur imposait un nombre extraordinaire de pratiques et de tabous clairement définis par la tradition. C'était la province du *chaman,* qui avait le pouvoir, dans certaines circonstances, à tel moment et dans des endroits donnés, d'exorciser les esprits.

Les objets magiques fabriqués par les Esquimaux avaient deux fonctions. Les amulettes servaient de protection contre les esprits mauvais ou *tornraks.* Dans certaines régions, ces amulettes étaient faites spécialement pour les enfants, en guise de protection contre les nombreux dangers dont ils étaient menacés. On a déjà vu un garçon en porter jusqu'à cinquante sur ses vêtements, chacune ayant un but particulier.

La seconde catégorie d'objets devait assurer la nourriture. On les trouve dans les plus anciens sites archéologiques. Il s'agit de miniatures représentant l'animal que le chasseur désirait tuer. L'Esquimau de l'époque préchrétienne, comme beaucoup d'autres primitifs, croyait jeter un sortilège à l'animal dont il faisait l'image. C'est là une des origines de la sculpture esquimaude contemporaine, mais s'il subsiste encore quelque chose de la croyance ancienne, on s'en cache soigneusement.

Les Esquimaux ne fabriquent plus que rarement des amulettes, bien qu'on puisse encore voir à l'occasion sur leurs vêtements les franges où on les accrochait jadis. Mais la sculpture persiste, gardant ou maintenant sa fonction originelle de fournir à la famille ses moyens de subsistance, non plus en attirant le gibier, mais en apportant de l'argent. De cette façon, la sculpture n'est pas contraire à la foi chrétienne; en perdant de sa vertu magique dans l'esprit des gens, elle n'a pas perdu sa fonction de procurer la nourriture. Selon la logique de l'Esquimau — peut-être au prix d'une certaine gymnastique mentale — le résultat semble le même. Il continue à sculpter et l'art, fort heureusement pour nous, survit.

La transition ne s'est pas faite en un instant. Elle se poursuit encore dans certaines régions, car il n'est pas possible d'anéantir en un jour des superstitions millénaires. De nos jours, l'Esquimau sculpte pour se procurer de la nourriture tout comme, somme toute, ses ancêtres les plus éloignés. La technique de la gravure lui a permis de ressusciter les vieux esprits qui survivent encore dans sa mémoire, ses mythes et ses légendes.

L'Esquimau et l'art

L'art esquimau et l'éducation des Blancs ne s'excluent pas nécessairement. Pourvu qu'on l'encourage et qu'on ne se moque pas de lui — la chose n'est pas impossible — l'Esquimau assimile ce qu'on lui enseigne et continue à oeuvrer selon ses propres tendances.

On en a eu la preuve à Baker Lake où l'esprit créateur de l'Esquimau a explosé ces dernières années. Une éclosion semblable s'est produite à Holman, à Bathurst Inlet, à Bellin, à Pangnirtung, à Povungnituk et à Port Burwell.

Il est vrai que beaucoup d'Esquimaux ne sont que des artisans, non de véritables artistes. Leur situation économique ne leur laisse guère le choix. Qu'ils trouvent un emploi ou que la chasse au phoque soit bonne, et la plupart abandonnent la sculpture sans regret.

Pour comprendre les Inuit et apprécier leur art, nous

ne pouvons les contempler orgueilleusement à travers le prisme de notre civilisation, sans égard à leur culture et à leur milieu. En effet, notre expérience ne contribue guère à la compréhension de l'art esquimau, à moins de remonter à nos propres origines. Ce n'est que si nous sommes prêts à écouter et à observer avec sympathie que le dialogue peut s'établir. Et puisqu'il n'est pas facile de parler de valeurs abstraites quand on ne dispose pas d'une langue commune, l'art doit rester le seul moyen de communication.

Il ne faudrait pas croire cependant que l'Esquimau refuse toute discussion objective de son art. Mais sa langue n'offre pas de ressources dans ce domaine. Point de ces phrases passe-partout comme «très intéressant!» où l'intonation masque l'indigence de la pensée. L'Esquimau a horreur du superflu. Ce que l'oeil peut voir est évident: à

quoi bon en parler? Ce que l'oeil ne voit pas n'existe peut-être même pas et vaut encore moins la peine d'en parler. C'est au nom du même principe que telle femme sculptée par Mamusualuk n'a pas de mains. Elles auraient été superflues, elles ont été éliminées, au grand avantage de la composition.

La louange est une autre affaire. Le vocabulaire esquimau est assez remarquable sur ce point. Il existe divers degrés dans le compliment, dont certains sont de portée si restreinte qu'ils équivalent à des critiques. L'Esquimau sait parfaitement si sa sculpture est bonne, mauvaise ou indifférente; c'est une insulte à son intelligence que de lui en indiquer les défauts. On se contente de louer ce qui est bon et de le laisser juger du reste. En appliquant cette méthode avec tact, on peut réussir à se rapprocher de l'Esquimau. Mais cela ne va pas sans danger.

On peut aussi se demander ce que l'Esquimau pense de son oeuvre une fois qu'elle a quitté l'Arctique. Nos propres écrivains et artistes ont parfois abordé cette question et ne s'entendent guère. Le plus qu'on puisse dire, c'est que l'Esquimau se souvient.

Développement des marchés

Un des événements les plus lourds de conséquence pour la vie économique des artistes esquimaux a été l'institution des coopératives, dont la première remonte à 1959. En 1965, à la requête des coopératives, on fondait une agence centrale de distribution ne faisant pas partie de la fonction publique pour faire le travail assumé auparavant par l'Etat.

Erigée en vertu de la Loi des compagnies le 1er octobre 1965, la société *Canadian Arctic Producers Limited* est un organisme sans but lucratif dirigé par un conseil d'administration de six membres dont un est un agent du gouvernement fédéral.

Au Québec, La Fédération des Coopératives du Nouveau-Québec, dont le siège est à Lévis, est distributeur d'oeuvres d'art esquimau provenant des coopératives esquimaudes du Nouveau-Québec qui en sont membres.

Au début du siècle, rares étaient les voyageurs du Grand Nord qui collectionnaient les oeuvres esquimaudes. Les Blancs qui y vivaient ne voyaient guère en l'Esquimau qu'un chasseur de pelleterie. (Ils ont d'ailleurs bouleversé complètement le mode de vie des Esquimaux, mais l'étude de ces événements, qu'on pourra lire ailleurs, appartient à l'histoire et n'entre pas dans notre propos.) Dès 1910, la *Canadian Handicrafts Guild* tenta en vain d'intéresser le monde aux sculptures esquimaudes. Ce n'est qu'en 1949 qu'on reconnut enfin la valeur de cet art.

Pour la première fois les Canadiens entendirent les noms étranges et beaux des Inuit, hommes et femmes, qui allaient bientôt devenir célèbres dans les annales de l'art canadien: Lukta, Munamee, Innukpuk, Sheroapik, Kalingo. Ce fait aussi appartient à l'histoire, mais il n'en demeure pas moins étonnant, par la rapidité avec laquelle ces sculptures ont été si complètement acceptées — en moins d'une année — après avoir été si longtemps négligées.

Dans l'autre monde qu'ils habitent maintenant, les ancêtres des Inuit doivent être bien étonnés de voir l'extraordinaire bonne fortune qu'a value à leur descendance la magie de leur sculpture. Le plus étrange de l'affaire, c'est que tout cela soit arrivé presque par hasard, grâce à un jeune artiste en voyage dans l'Arctique.

C'est en 1949 que James Houston fit la connaissance des Esquimaux et de leur sculpture, à Inoucdjouac (Port Harrison), sur la baie d'Hudson. Ce fut le coup de foudre. Son caractère et son expérience le prédestinaient, entre tous les Blancs, à inspirer confiance. Il faut dire que ce qui manquait le plus à l'Esquimau, c'était la confiance en soi. Il se savait excellent chasseur et le seul à pouvoir vivre de ses propres ressources dans son rude pays. Mais toute la confiance qu'il avait pu avoir dans son jugement personnel et sa faculté d'expression, surtout sa faculté d'expression artistique, avaient été détruites au cours du siècle qui a suivi l'arrivée des Blancs. Houston sut apprécier l'artiste chez l'Esquimau, comprendre sa façon d'aborder l'art. Il établit sur une nouvelle base les rapports entre l'homme blanc et les Inuit. La suite a prouvé qu'il s'agissait d'un des événements les plus heureux de l'histoire de l'art au Canada et peut-être au monde.

A la première exposition de sculptures organisée en 1949 par la *Canadian Handicrafts Guild* à Montréal, la collection entière se vendit en trois jours.

Au cours des années suivantes, le ministère fédéral qui est aujourd'hui le ministère des Affaires indiennes et du Nord canadien a fourni des subventions d'une valeur globale de plus de $30,000. M. Houston put ainsi visiter de nombreux villages de l'Arctique dont les noms sont aujourd'hui familiers aux collectionneurs d'art esquimau Povungnituk, Saglouc, Dorset, Pangnirtung, Baker Lake. Partout il recueillit la preuve que la faculté créatrice existe chez tous les Inuit. La *Canadian Handicrafts Guild* a continué de s'occuper de la présentation des sculptures esquimaudes; plus tard, cet organisme se joignit à la Compagnie de la Baie d'Hudson et au ministère du Nord canadien et des Ressources nationales pour organiser la cueillette des sculptures dans l'Arctique ainsi que leur distribution et leur mise en marché dans le Sud. Un système efficace assurait la réussite économique; il subsiste encore aujourd'hui, quoique un peu modifié.

Vers le milieu des années 50, des imitations de sculptures esquimaudes ont fait leur apparition sur le marché canadien. Dans l'intérêt du grand public et des marchands, ainsi que de tous ceux qui étaient plus ou moins profanes dans ce domaine, on établit alors une marque de commerce à laquelle peuvent maintenant se fier tous ceux qui recherchent le véritable art esquimau.

Estampes

Un des sons les plus joyeux à l'oreille des Inuit est le bruit que font les premières oies sauvages au printemps. Pressées d'arriver au terme de leur migration, elles tentent d'aller le plus loin possible vers le Nord. Mais elles ne peuvent y survivre qu'après la fonte des neiges, et si le printemps est tardif elles doivent revenir vers le Sud pour attendre le dégel.

Par un beau matin de mai, il y a quelques années, un camp esquimau à demi enfoui sous la neige et la glace, éclate tout à coup en clameurs folles — un tintamarre comme seuls les Esquimaux savent en faire. Les enfants sortent nus des tentes et se roulent dans la neige. Les jeunes gens se vêtent à la hâte et se précipitent dehors. Les vieilles femmes, immobiles, y vont de leurs commentaires excités. Les yeux des jeunes femmes s'allument dans la lueur bleue et orangée des *Kudlik* (lampes à huile de phoque).

Là-haut, dans le ciel, faisant un vacarme semblable, un vol d'oies sauvages se dirige vers le Nord. Pendant les sept mois de la nuit polaire on n'avait jamais entendu tant de bruit, si ce n'est les hurlements du vent. Le premier vol passé, on rentre dans les tentes (les igloos fondant déjà à cette époque) pour finir sa toilette et dresser les plans de la chasse. Enfin, de la viande fraîche, pour la première fois depuis septembre! On va enfin manger autre chose que du poisson et encore du poisson! Mais un silence soudain s'abat sur les jeunes chasseurs. Déçus, ils gardent les yeux rivés au sol. Il serait impoli de montrer leur colère ou leur dépit: le bruit court que, selon les vieillards, les oies se sont trompées et devront retourner au Sud.

La tension monte dans le camp. Les enfants parcourent les collines, appelant les oies avec une telle perfection qu'on dirait le camp plein des succulents volatiles. La journée passe lentement, pas d'oies à l'horizon. Vers le soir, nouveau tintamarre. Les oies repassent: direction sud. Elles sont hors de portée, mais les jeunes gens, énervés, tirent quand même.

Quand tout est fini, les Esquimaux se calment et haussent les épaules: «Il faudra bien qu'elles reviennent un jour ou l'autre.» Puis vient la nuit, et le blizzard qui explique tout!

Cet incident n'est pas la source de l'estampe de Tudlik *Rêve d'oiseau annonçant des blizzards,* mais ce sont des expériences semblables qui inspirent de telles oeuvres d'art. Jadis, les Esquimaux auraient cru qu'un esprit aérien particulièrement malveillant avait repoussé les oies pour faire souffrir les Inuit. Le *chaman* aurait tenté d'exorciser l'esprit mauvais. Aujourd'hui l'Esquimau pratique la résignation chrétienne en espérant que tout s'arrangera — sans pour autant négliger complètement ses croyances ancestrales.

Les estampes à résonances mystiques se fondent sur des incidents de ce genre. Souvent, elles illustrent des légendes transmises de bouche à oreille depuis des siècles. L'archéologie du Grand Nord canadien nous permet de préciser peu à peu nombre de mythes qui sont à l'origine des estampes.

La fréquence du thème de l'oie dans les estampes n'a rien d'étonnant. Cet oiseau est hautement prisé des Esquimaux qui adorent le représenter, parfois d'une façon très simple, en tant que forme belle à voir, comme dans l'*Oie à la course* d'Eejyvudluk.

Au mois d'août, la mue cloue les oies au sol. Elles s'assemblent en grandes bandes dans les coins reculés du muskeg où il est presque impossible de les atteindre. Les Esquimaux préfèrent d'ailleurs ne pas les chasser à ce moment, car c'est l'époque où elles élèvent leurs petits et les préparent à la migration. Mais ils s'amusent follement à les faire courir. (C'est un exercice très sain, mais à vrai dire superflu pour eux.)

Tous les avantages sont du côté des oies: elles courent à la vitesse de l'éclair, elles s'éparpillent; leur plumage sans éclat se marie parfaitement avec leur entourage. Les Esquimaux courent jusqu'à ce qu'ils tombent de rire. C'est cette scène joyeuse que l'estampe d'Eejyvudluk évoque. Le cou et la tête étirés, les ailes inutiles qui battent confusément et le mouvement des pattes, autant de moyens de traduire la confusion, la vitesse et la détermination de cet oiseau remarquable. La composition est triangulaire, comme une pyramide penchée au bord d'un précipice, ce qui symbolise bien la situation de l'oie.

Tudlik pourrait nous apprendre beaucoup sur l'art esquimau. On raconte que sa femme était confinée à la tente par la poliomyélite. Un jour qu'elle était seule, des chiens entrèrent dans la tente et la tuèrent. L'estampe de Tudlik s'appelle *Partage de la viande*. Cette composition extraordinaire semble symétrique au premier coup d'oeil. En fait, il n'y a pas deux lignes qui correspondent exactement. Chaque élément est tordu, torturé, mais fondu dans une composition harmonieuse.

Toutes les estampes n'ont pas besoin d'être analysées. Il faut les apprécier en elles-mêmes. Beaucoup sont tout simplement des compositions agréables et colorées où les objets sont disposés de façon à plaire à l'oeil. D'autres, où se manifeste la tendance des Esquimaux au réalisme simplifié, comme les estampes de Parr, sont peut-être plus difficiles d'abord. La simplicité est si trompeuse que ses animaux semblent puérils. Pourtant, ils possèdent une vie qu'aucun enfant ne saurait leur conférer.

Cependant, pour apprécier à sa juste valeur toute la beauté des diverses formes d'expression artistique des Esquimaux, il faut les replacer dans le contexte d'une culture bien particulière. Il ne s'agit pas de savoir, par

exemple, ce que signifie le soleil pour tous les autres hommes, mais bien de savoir ce qu'il signifie pour Kenojuak.

Même aux temps les plus reculés, les Esquimaux n'ont jamais eu de dieu de l'amour. Les archéologues n'en ont retrouvé aucune trace. Il faut se rappeler que l'Arctique est hostile à l'homme; ce n'est pas la terre promise. Même aujourd'hui, malgré tout l'équipement qu'on leur a fourni, les Inuit doivent ouvrir l'oeil pour survivre. Depuis le début, cette terre est pour eux infestée d'esprits malveillants qui cherchent à les anéantir. Il y avait bien des esprits bienveillants, comme le soleil, mais les Esquimaux ne perdent pas leur temps à s'occuper de bonnes influences qu'ils supposent parfaitement capables de se soutenir d'elles-mêmes. Ils ont trop à faire à combattre les esprits mauvais comme le blizzard qui chasse les oies.

Parmi les esprits, la lune était plus ou moins un cas-limite et appartenait au genre masculin. Ils avaient appris par observation que la lune influe sur les marées, ce qui était important, car les marées règlent le mouvement des glaces qui peut ruiner la chasse au phoque. Ce n'était donc pas un esprit particulièrement secourable; en tout cas, sa lumière n'était pas d'une grande utilité au cours de la longue nuit arctique. Par contre, le soleil, reconnu par tous les hommes comme la source de la vie, était du genre féminin, comme d'ailleurs chez beaucoup d'autres peuples à diverses époques de l'histoire de la civilisation occidentale.

Le thème premier de Kenojuak est donc la *Femme qui habite le soleil*. De prime abord, c'est une figure agréable et souriante, à l'expression légèrement sardonique. Il y a cependant deux détails importants. D'abord, les parallélogrammes blancs, concaves, et très prononcés sous la bouche sont les tatouages que l'Esquimaude porte au menton. Les dents sont également celles d'une Esquimaude. La dentition est parfaite, mais les incisives inférieures commencent à s'user à force de mâcher des peaux. Il ne saurait y avoir de doute sur l'origine raciale de la femme qui habite ce soleil.

Dans les autres estampes de Kenojuak, l'esprit du soleil n'apparaît plus seul mais en rapport avec son effet sur la vie de la terre. Diverses interprétations sont possibles, mais il ne semble pas y avoir de doute quant au *Retour du soleil.* Le retour du soleil dans l'Arctique est une chose merveilleuse à voir. Pour s'en faire une idée, qu'on se représente ce qui arrive sous nos climats quand le soleil fait irruption, en plein été, après plusieurs jours de pluie, lorsque les récoltes et les vacances sont ruinées. Les animaux sortent de leur retraite, toute la nature vient prendre un bain de lumière. Non contente de représenter la lumière, Kenojuak entoure les créatures d'une pénombre du soleil, suggérant ainsi la chaleur qui assure leur survivance. Leurs ailes palpitent haut dans les airs et battent derrière leur dos. Ils bougent leurs pieds, ils dansent, secouant leur corps dans la danse de la vie.

Conclusion

En 1934, dans un rapport médical écrit de Pangnirtung, Baffin, J. A. Bildfell décrit comme suit la civilisation esquimaude de sa région: «Une culture à la fois stimulée et limitée par le milieu; et cette culture est la preuve d'une mentalité relativement avancée. En tant que peuple primitif jouissant d'un degré assez avancé de développement, ils [les Esquimaux] ont formulé une moralité religieuse et sociale logique. Ici, le milieu a servi à intensifier et à rendre moins élastique, de sorte qu'à l'arrivée de l'homme blanc nous sommes en face d'une société absolument statique. Le développement mental a atteint ce qui semble être une limite.»

De son côté, Toynbee définit les Esquimaux, comme une civilisation arrêtée et ajoute: «Le prix que les Esquimaux ont dû payer pour leur audace à en venir aux prises avec le rude milieu arctique a été la rigide conformation de leurs vies au cycle annuel du climat arctique. Tous les chefs de famille de la tribu doivent se livrer à diverses occupations selon les diverses saisons de l'année, et la tyrannie de la nature impose au chasseur un horaire aussi inflexible que celui auquel doivent se soumettre les ouvriers d'usine. En effet, nous pouvons nous demander si les Esquimaux sont les maîtres ou les esclaves de la nature dans l'Arctique.»

Toynbee groupe également les Esquimaux avec d'autres sociétés «qui sont toutes en voie d'intégration dans la mesure où le rayonnement social de la civilisation occidentale n'est pas purement et simplement en train de les détruire».

Une trentaine d'années se sont écoulées depuis que ces remarques ont été écrites. On peut sans doute les accepter sans discussion. Rien ne sert de spéculer sur le sort hypothétique de cette race en l'absence du défi posé par les Blancs. On peut dire que les Esquimaux ont répondu au défi d'une façon positive. On peut même parler d'une renaissance esquimaude. La population augmente, la santé s'améliore et la technologie suscite un vif intérêt.

Mais c'est surtout dans le domaine des arts qu'éclate leur vitalité. Ils ont accompli beaucoup en peu de temps. Ils ont capté l'attention du monde.

On ressent toujours la même émotion chaque fois qu'on ouvre une collection de sculptures fraîchement arrivée du Grand Nord, car c'est peut-être dans cette boîte qu'on trouvera la plus belle sculpture jamais découverte.

S'il est nécessaire d'expliquer un peu les tendances actuelles de la sculpture, les estampes, elles, se passent de commentaires car leur constante qualité ne fait aucun doute.

Il est vrai que le revenu tiré des arts et de l'artisanat n'est pas négligeable et que certains artistes vivent bien, mais ce n'est somme toute qu'un mince apport en regard de ce qu'il faudrait pour libérer tous les Esquimaux de la servitude à laquelle leur milieu géographique les assujettit. Le véritable profit qu'ils ont retiré de leur réussite artistique est d'un tout autre ordre, mais non moins important. Les Inuit ne sont plus une simple curiosité. On n'a plus envie de les montrer au public comme des animaux de cirque, comme cela s'est déjà produit dans le passé pour certaines peuplades primitives. Ils sont maintenant aux yeux du monde des hommes à part égale, des esprits créateurs.

Quel que soit le sort des Esquimaux durant les prochaines générations, il est clair que la génération actuelle a créé des oeuvres qui vont demeurer.

Ces hommes et ces femmes ont donné aux jeunes Esquimaux de demain un exemple à imiter. Les jeunes artistes se laisseront sûrement prendre par les attraits de notre civilisation. Quand ils connaîtront bien l'art occidental — qu'on a commencé de leur enseigner à l'école — ils reviendront jeter un regard neuf sur l'art de leurs parents.

Le peuple esquimau ne résiste pas à l'arrivée de la civilisation occidentale. Il va au contraire à sa rencontre. Il devrait pouvoir apporter ses bagages: sa langue, son art, son mode de pensée, car tout cela enrichira le Canada. Il suffit que, dans cette nouvelle migration, les nomades Esquimaux puissent passer à la douane sans encombre. C'est à tous les Canadiens d'y voir.

1 Eskimo Faces
   Ugjuk
   Rankin Inlet

   Visages esquimaux
   Ugjuk
   Rankin Inlet

Sculpture

2   Woman in Local Traditional Costume
    Anonymous
    Coppermine

    Femme en costume traditionnel
    Anonyme
    Coppermine

Woman and Child
Mamusualuk
Baker Lake

Femme et enfant
Mamusualuk
Baker Lake

4 Woman
   Toona Erkolik
   Baker Lake

   Femme
   Toona Erkolik
   Baker Lake

Woman with Water Pail
Kingalik
Baker Lake

Femme au seau d'eau
Kingalik
Baker Lake

6 Woman
   Akpatiko
   Baker Lake

   Femme
   Akpatiko
   Baker Lake

Head
Kingalik
Baker Lake

Tête
Kingalik
Baker Lake

8 Seal Hunt
Anonymous
Bathurst Inlet

Chasse au phoque
Anonyme
Bathurst Inlet

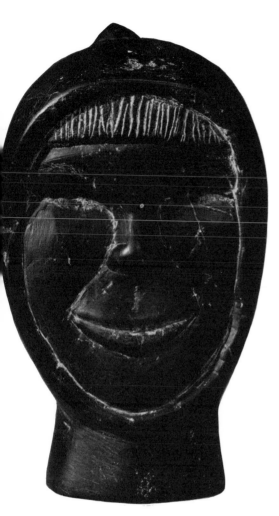

33

9 Eskimo Face
Anonymous
Rankin Inlet

Visage esquimau
Anonyme
Rankin Inlet

10 Head
John Karulik
Rankin Inlet

Tête
John Karulik
Rankin Inlet

Eskimo Face
Anonymous
Rankin Inlet

Visage esquimau
Anonyme
Rankin Inlet

12 Man
    Donat Ikkoole
    Rankin Inlet

    Homme
    Donat Ikkoole
    Rankin Inlet

Woman and Child
Tiktak
Rankin Inlet

Femme et enfant
Tiktak
Rankin Inlet

14 Hunter
Moses
Belcher Islands

Chasseur
Moses
Belcher Islands

15 Eskimo Faces
Poste-de-la-Baleine, Quebec

Visages esquimaux
Poste-de-la-Baleine (Québec)

16 Woman Stretching Sealskin
Neetalook
Inoucdjouac, Quebec

Femme étirant une peau de phoque
Neetalook
Inoucdjouac (Québec)

17 Woman and Baby
  Simon
  Povungnituk, Quebec

  Femme et bébé
  Simon
  Povungnituk (Québec)

18 Woman with Sealskin
  Koom
  Povungnituk, Quebec

  Femme et peau de phoque
  Koom
  Povungnituk (Québec)

17

Woman and Child
Joe Talirunili
Povungnituk, Quebec

Femme et enfant
Joe Talirunili
Povungnituk (Québec)

20   Man
Marcussi
Ivujivik, Quebec

Homme
Marcussi
Ivujivik (Québec)

18

19

20

21 Seated Figures
    Anonymous
    Port-Nouveau-Québec

    Figures assises
    Anonyme
    Port-Nouveau-Québec

Woman and Child
Anonymous
Port-Nouveau-Québec

Femme et enfant
Anonyme
Port-Nouveau-Québec

23 Man With Falcon
Anonymous
Port-Nouveau-Québec

Homme au faucon
Anonyme
Port-Nouveau-Québec

Hunter
Anonymous
Port-Nouveau-Québec

Chasseur
Anonyme
Port-Nouveau-Québec

25 Spirit with Seal
    Adamie Alako
    Povungnituk, Quebec

    Esprit et phoque
    Adamie Alako
    Povungnituk (Québec)

26 Incised Walrus Tusk
    Davidee
    Lake Harbour

    Défense de morse gravée
    Davidee
    Lake Harbour

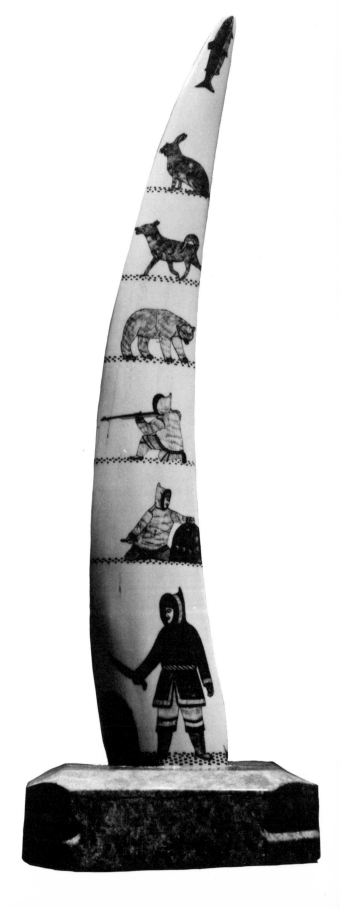

Walrus Hunt
Lucassie
Saglouc, Quebec

Chasse au morse
Lucassie
Saglouc (Québec)

28   Woman and Children
Noah
Frobisher Bay

Femme et enfants
Noah
Frobisher Bay

29 Head
Davidee
Frobisher Bay

Tête
Davidee
Frobisher Bay

Listening Figure
Pauta
Cape Dorset

Figure à l'écoute
Pauta
Cape Dorset

31 Muskox with Head of Elephant. Anonymous. Baker Lake

Boeuf musqué à tête d'éléphant. Anonyme. Baker Lake

32 Muskox. Neooktok. Baker Lake

Boeuf musqué. Neooktok. Baker Lake

33 Bears with Seal. Karlik. Rankin Inlet

Ours et phoque. Karlik. Rankin Inlet

34 Woman and Dog. Anonymous. Rankin Inlet

Femme et chien. Anonyme. Rankin Inlet

31

32

33

34

36 Bird
Sandy Annanak
Fort-Chimo, Quebec

Oiseau
Sandy Annanak
Fort-Chimo (Québec)

37 Ground Squirrel
Simon
Povungnituk, Quebec

Ecureuil
Simon
Povungnituk (Québec)

Polar Bear
Pauta
Cape Dorset

Ours polaire
Pauta
Cape Dorset

39 Walrus. Sila. Cape Dorset

Morse. Sila. Cape Dorset

40 Seal. Ottochie. Cape Dorset

Phoque. Ottochie. Cape Dorset

41 Polar Bear. Paulassie. Cape Dorset

Ours polaire. Paulassie. Cape Dorset

39

40

41

Lion and Polar Bear Cub. Kiawak. Cape Dorset

Lion et ourson polaire. Kiawak. Cape Dorset

Walrus. Josephee. Lake Harbour

Morse. Josephee. Lake Harbour

44 Bear. Anonymous. Cape Dorset

Ours. Anonyme. Cape Dorset

42

43

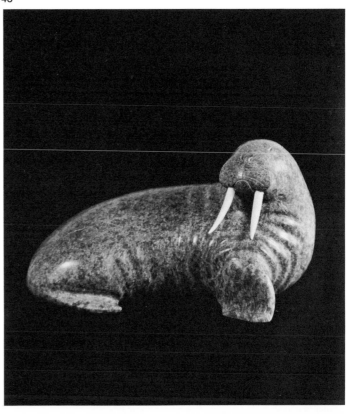

44

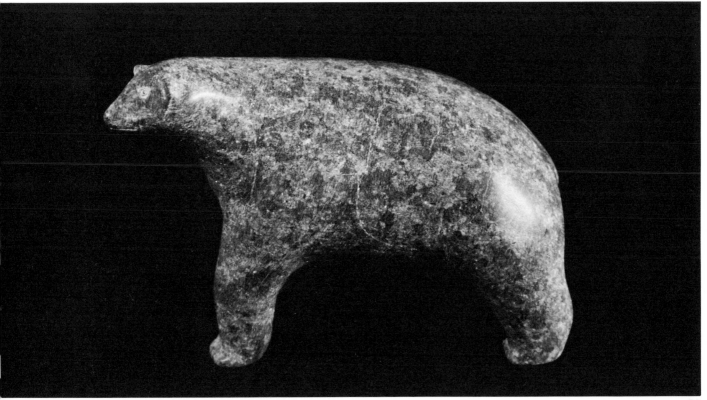

45 Ptarmigan
Kingalik
Baker Lake

Lagopède
Kingalik
Baker Lake

Bird
Davidee Ekoota
Baker Lake

Oiseau
Davidee Ekoota
Baker Lake

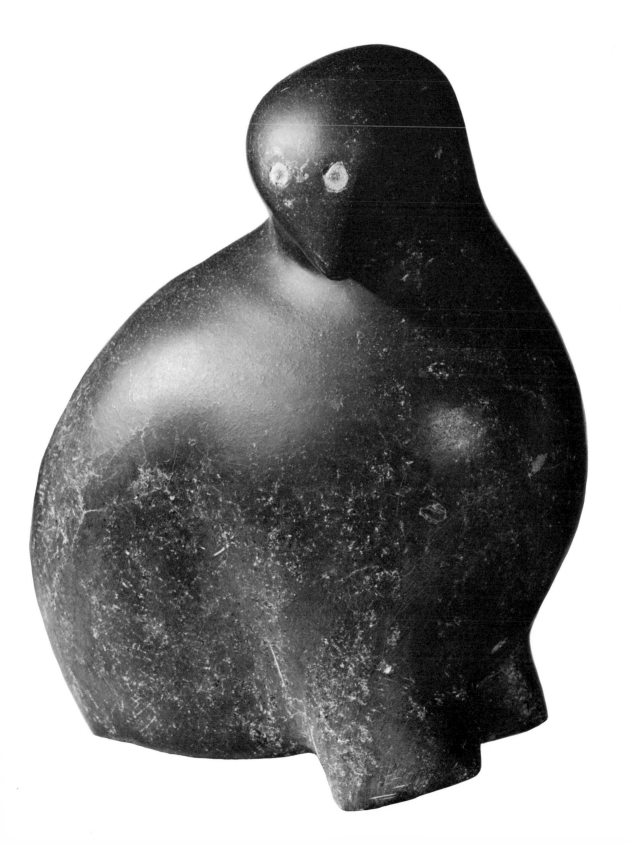

47 Bird
Karlik
Rankin Inlet

Oiseau
Karlik
Rankin Inlet

48 Goose and Fish
Laurent Aksadjuar
Rankin Inlet

Oie et poisson
Laurent Aksadjuar
Rankin Inlet

47

48

Puffin. Kesudluk. Poste-de-la-Baleine, Quebec

Macareux arctique. Kesudluk. Poste-de-la-Baleine (Québec)

Bird. Henry Napartok. Poste-de-la-Baleine, Quebec

Oiseau. Henry Napartok. Poste-de-la-Baleine (Québec)

51 Bird. Johnny. Belcher Islands

Oiseau. Johnny. Belcher Islands

49

50

51

52 Spirit Bird
    Kiawak
    Cape Dorset

    Oiseau esprit
    Kiawak
    Cape Dorset

53 Bird Mother
    Parr
    Cape Dorset

    Mère oiseau
    Parr
    Cape Dorset

52

Sea Birds of Whale Bone
Anonymous
Arctic Bay

Oiseaux de mer en os de baleine
Anonyme
Arctic Bay

55 Fish
Davidee Sapa
Richmond Gulf, Quebec

Poisson
Davidee Sapa
Richmond Gulf (Québec)

53

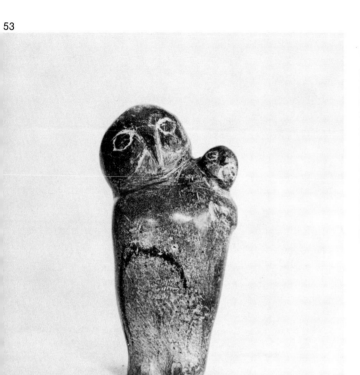

54

55

56 Bearded seal designs applied on
    scraped silver jar skin. 1951
    Artist Unknown
    Cape Dorset

    Appliques de peau de phoque noire
    sur peau de couleur différente. 1951
    Artiste inconnu
    Cape Dorset

Graphic Art   L'art graphique

57 Legend of the Blind Man and the Bear. 1959
Kananginak and Pootagook
Cape Dorset

La légende de l'aveugle et de l'ours. 1959
Kananginak and Pootagook
Cape Dorset

58 Division of Meat. 1959
Tudlik
Cape Dorset

Partage de la viande. 1959
Tudlik
Cape Dorset

57

58

59

Excited Man Forgets His Weapon. 1959
Tudlik
Cape Dorset

L'homme excité oublie son arme. 1959
Tudlik
Cape Dorset

60   Owl. 1959
Stone cut
Luktak
Cape Dorset

Hibou. 1959
Gravure sur pierre
Luktak
Cape Dorset

60

61 Snowhouse Builders. 1959
Niviaksiak
Cape Dorset

Constructeurs d'igloo. 1959
Niviaksiak
Cape Dorset

62 Young Woman. 1959
Shekoalook
Cape Dorset

Jeune femme. 1959
Shekoalook
Cape Dorset

64 Woman who Lives in the Sun. 1960
    Stone cut
    Kenojuak
    Cape Dorset

    La femme qui habite le soleil. 1960
    Gravure sur pierre
    Kenojuak
    Cape Dorset

The Arrival of the Sun. 1962
Stone cut
Kenojuak
Cape Dorset

Le retour du soleil. 1962
Gravure sur pierre
Kenojuak
Cape Dorset

66 Night Spirits. 1960
Stone cut
Kenojuak
Cape Dorset

Esprits nocturnes. 1960
Gravure sur pierre
Kenojuak
Cape Dorset

67 Sea Gulls on Arctic Ice. 1960
Sealskin Stencil
Mungitok
Cape Dorset

Goélands sur les glaces arctiques. 1960
Estampe au pochoir de peau de phoque
Mungitok
Cape Dorset

66

67

Driving Moulting Geese into Stone Pens. 1960
Sealskin Stencil
Kiakshuk
Cape Dorset

On rabat les oies en mue vers des enclos de pierre. 1960
Estampe au pochoir de peau de phoque
Kiakshuk
Cape Dorset

69 Three Bear Hunters. 1960
Sealskin Stencil
Kiakshuk
Cape Dorset

Trois chasseurs d'ours. 1960
Estampe au pochoir de peau de phoque
Kiakshuk
Cape Dorset

68

69

70 Running Goose. 1960
    Sealskin Stencil
    Eejyvudluk
    Cape Dorset

    Oie à la course. 1960
    Estampe au pochoir de peau de phoque
    Eejyvudluk
    Cape Dorset

71 The Archer. 1960
    Sealskin Stencil
    Niviaksiak
    Cape Dorset

    L'archer. 1960
    Estampe au pochoir de peau de phoque
    Niviaksiak
    Cape Dorset

70

71

72

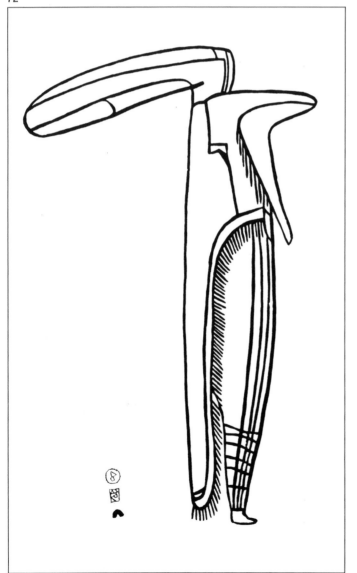

72

Inland Eskimo Woman. 1960
Stone cut
Una
Baker Lake

Esquimaude de l'intérieur. 1960
Gravure sur pierre
Una
Baker Lake

73   Blue Geese Feeding. 1961
Sealskin stencil
Parr
Cape Dorset

Oies bleues. 1961
Estampe au pochoir de peau de phoque
Parr
Cape Dorset

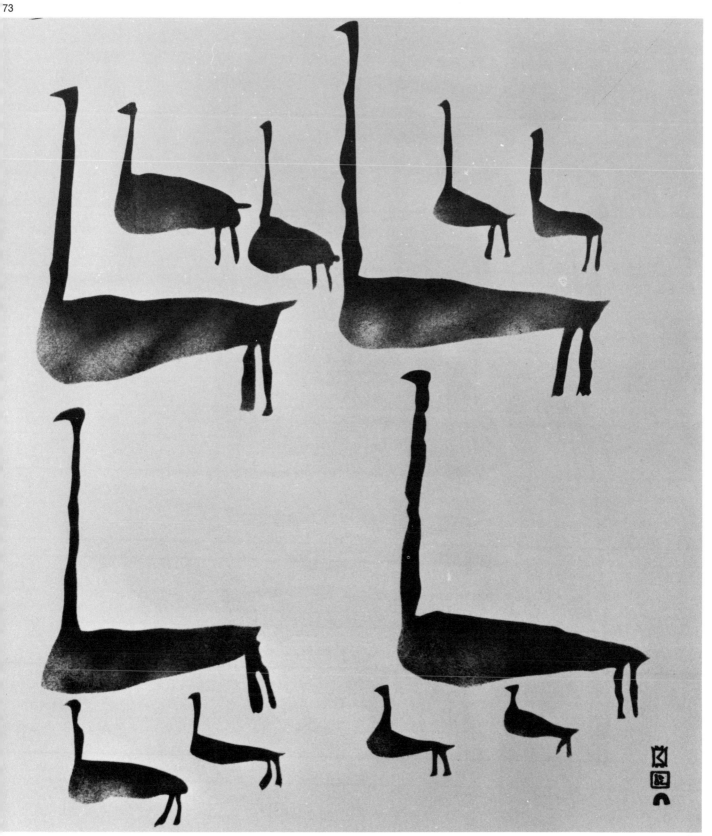

74   Men and Walrus. 1961
      Stone cut
      Parr
      Cape Dorset

      Hommes et morses. 1961
      Gravure sur pierre
      Parr
      Cape Dorset

      74

Multi-feathered Bird. 1961
Stone cut
Kenojuak
Cape Dorset

Oiseau. 1961
Gravure sur pierre
Kenojuak
Cape Dorset

76 Two Men Discussing Coming Hunt. 1961
Sealskin stencil
Kavavook
Cape Dorset

Deux hommes parlant de la chasse. 1961
Estampe au pochoir de peau de phoque
Kavavook
Cape Dorset

77　A Vision of Animals. 1961
　　Stone cut
　　Kenojuak
　　Cape Dorset

　　Vision d'animaux. 1961
　　Gravure sur pierre
　　Kenojuak
　　Cape Dorset

Avingaluk — The Big Lemming. 1961
Stone cut
Pudlo
Cape Dorset

Avingaluk — Le gros lemming. 1961
Gravure sur pierre
Pudlo
Cape Dorset

79 Bear Attacking Seal. 1961
Stone cut
Ningeookaluk
Cape Dorset

Ours attaquant un phoque. 1961
Gravure sur pierre
Ningeookaluk
Cape Dorset

80 In the Night Sky. 1961
Stone cut
Mary Pitseolak
Cape Dorset

Dans le ciel nocturne. 1961
Gravure sur pierre
Mary Pitseolak
Cape Dorset

79

80

78

Creatures of Sea and Land. 1962
Engraving
Kiakshuk
Cape Dorset

Créatures de la mer et de la terre. 1962
Gravure
Kiakshuk
Cape Dorset

82   Bird and Seal. 1962
Engraving
Lucy
Cape Dorset

Oiseau et phoque. 1962
Gravure
Lucy
Cape Dorset

81

83   Bird Spirits. 1962
     Etching
     Kenojuak
     Cape Dorset

     Esprits ailés. 1962
     Eau-forte
     Kenojuak
     Cape Dorset

84   Bird Dream. 1962
     Engraving
     Kenojuak
     Cape Dorset

     Rêve d'oiseau. 1962
     Gravure
     Kenojuak
     Cape Dorset

83

84

Cliff Dwellers. 1962
Engraving
Iyola
Cape Dorset

Habitants de la falaise. 1962
Gravure
Iyola
Cape Dorset

86   Eider Duck. 1962
Engraving
Kananginak
Cape Dorset

Eider. 1962
Gravure
Kananginak
Cape Dorset

85

86

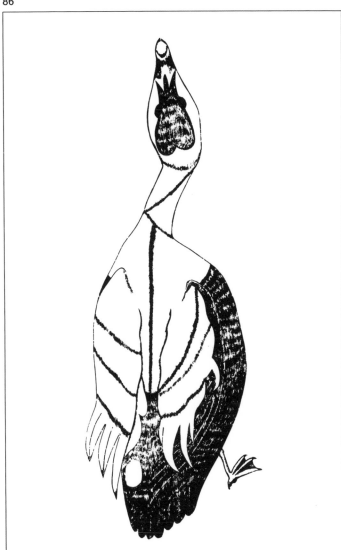

87 Bear Hunter. 1962
Engraving
Pitseolak
Cape Dorset

Chasseur d'ours. 1962
Gravure
Pitseolak
Cape Dorset

87

Birds. 1962
Engraving
Pauta
Cape Dorset

Oiseaux. 1962
Gravure
Pauta
Cape Dorset

89 Hunter. 1962
Etching
Parr
Cape Dorset

Chasseur. 1962
Eau-forte
Parr
Cape Dorset

88

89

90 Sea Dogs. 1963
    Stone cut
    Kenojuak. Cape Dorset

    Chiens de mer. 1963
    Gravure sur pierre
    Kenojuak. Cape Dorset

91 Gull with Sea Spirit. 1963
    Engraving
    Kenojuak. Cape Dorset

    Goéland et esprit marin. 1963
    Gravure
    Kenojuak. Cape Dorset

90

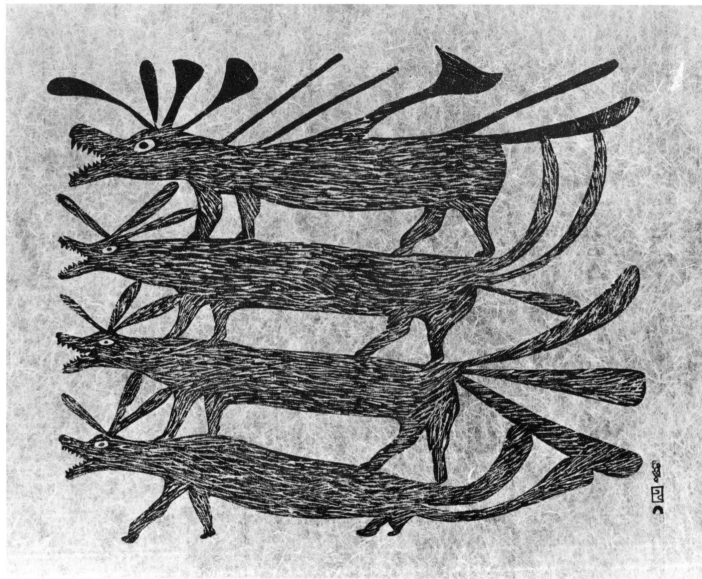

Sun Owl. 1963. Stone cut. Kenojuak. Cape Dorset

Hibou-soleil. 1963. Gravure sur pierre. Kenojuak. Cape Dorset

Bird. 1963. Engraving. Kenojuak. Cape Dorset

Oiseau. 1963. Gravure. Kenojuak. Cape Dorset

94 Birds and Woman's Face. 1963. Stone cut
Kenojuak. Cape Dorset

Oiseaux et visage de femme. 1963. Gravure sur pierre
Kenojuak. Cape Dorset

91

92

93

94

95 Dream. 1963
Stone cut
Kenojuak
Cape Dorset

Rêve. 1963
Gravure sur pierre
Kenojuak
Cape Dorset

96 Wolf Chasing Geese. 1963
Stone cut
Pitseolak
Cape Dorset

Loup pourchassant des oies. 1963
Gravure sur pierre
Pitseolak
Cape Dorset

95

96

97

Bright Plumage. 1963
Stone cut
Kenojuak
Cape Dorset

Plumage éclatant. 1963
Gravure sur pierre
Kenojuak
Cape Dorset

98

Stone cut
Pitseolak
Cape Dorset

Femme tatouée. 1963
Gravure sur pierre
Pitseolak
Cape Dorset

99

Men and Animals. 1963. Engraving. Kiakshuk. Cape Dorset

Hommes et animaux. 1963. Gravure. Kiakshuk. Cape Dorset

Eagle Carrying Man. 1963. Stone cut. Pudlo. Cape Dorset

Aigle enlevant un homme. 1963. Gravure sur pierre. Pudlo. Cape Dorset

103 Big Dog. 1963. Stone cut. Lizzie. Cape Dorset

Gros chien. 1963. Gravure sur pierre. Lizzie. Cape Dorset

100

101

102

103

104

105

106

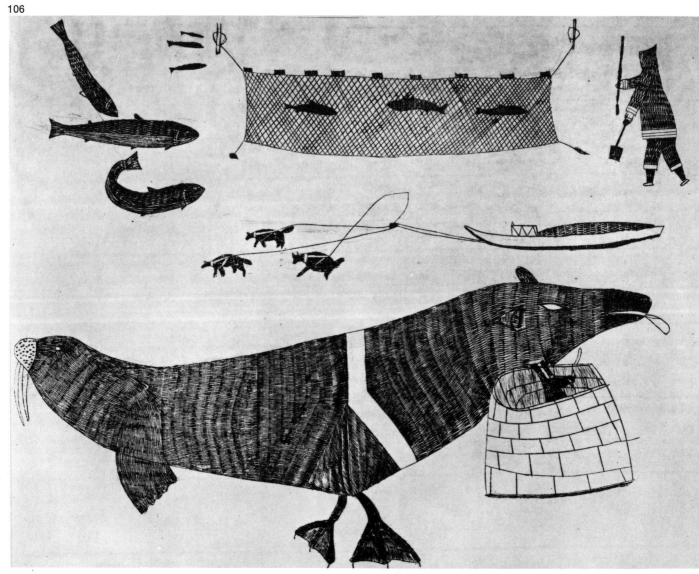

Fishing Scene. 1963
Engraving
Kovinatilliak
Cape Dorset

Scène de pêche. 1963
Gravure
Kovinatilliak
Cape Dorset

107

107   Geese, Man and Animals. 1963
Stencil
Parr
Cape Dorset

Oies, homme et animaux. 1963
Estampe au pochoir
Parr
Cape Dorset

108

Owl. 1964
Stone cut
Pauta
Cape Dorset

Hibou. 1964
Gravure sur pierre
Pauta
Cape Dorset

111 Ducks Feeding. 1964
Stone cut
Shouyu
Cape Dorset

Canards se nourissant. 1964
Gravure sur pierre
Shouyu
Cape Dorset

109

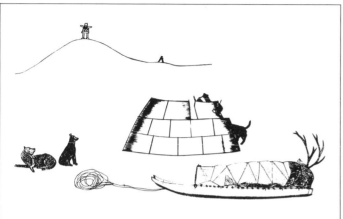

110

111

112   Woman Juggling. 1964
Stone cut
Shoroshiluto
Cape Dorset

Jongleuse. 1964
Gravure sur pierre
Shoroshiluto
Cape Dorset

113   Animal and Bird. 1964
Engraving
Anergna
Cape Dorset

Animal et oiseau. 1964
Gravure
Anergna
Cape Dorset

112

113

114

Spirit Bird. 1964
Stone cut
Angotigulu
Cape Dorset

Oiseau esprit. 1964
Gravure sur pierre
Angotigulu
Cape Dorset

115   Feeding Time. 1965
Stone cut
Alasi Audla
Povungnituk, Quebec

La tétée. 1965
Gravure sur pierre
Alasi Audla
Povungnituk (Québec)

115

116 Shiptime. 1965. Stone cut. Sevoga. Baker Lake

L'heure du bateau. 1965. Gravure sur pierre. Sevoga. Baker Lake

117 Bow and Arrow Hunt. 1965. Stone cut. Juanisialu. Povungnituk, Quebec

Chasse à l'arc. 1965. Gravure sur pierre. Juanisialu. Povungnituk (Québ

118 The Giant. 1965. Stone cut. Anni Mikpika. Povungnituk, Quebec

Légende du géant. 1965. Gravure sur pierre. Anni Mikpika. Povungnituk

116

117

118

119

Long Ago. 1965
Stone cut. Anni Mikpika
Povungnituk, Quebec

Jadis! 1965
Gravure sur pierre. Anni Mikpika
Povungnituk (Québec)

120   Birds. 1965
Stone cut
Josi Papi
Povungnituk, Quebec

Oiseaux. 1965
Gravure sur pierre
Josi Papi
Povungnituk (Québec)

120

121   Hunters Who Went Adrift. 1965
       Stone cut
       Joe Talirunili
       Povungnituk, Quebec

       Chasseurs à la dérive. 1965
       Gravure sur pierre
       Joe Talirunili
       Povungnituk (Québec)

121

Dance. 1965
Original limestone cut block
Kalvak
Holman

Dance. 1965
Limestone cut
Kalvak
Holman

Danse. 1965
Dalle de calcaire gravée
Kalvak
Holman

Danse. 1965
Gravure sur pierre calcaire
Kalvak
Holman

122

123

124 Archer and Caribou. 1965
Limestone cut
Memorana
Holman

Archer et caribous. 1965
Gravure sur pierre calcaire
Memorana
Holman

125 Mosquito Dream. 1965
Limestone cut
Kalvak
Holman

Rêve de moustiques. 1965
Gravure sur pierre calcaire
Kalvak
Holman

124

125

100

Caribou Hunt from Kayak. 1965
Limestone cut
Igutak
Holman

Chasse aux caribous d'un kayak. 1965
Gravure sur pierre calcaire
Igutak
Holman

127 Return from the Seal Hunt. 1965
Limestone cut
Ekootak
Holman

Retour de la chasse aux phoques. 1965
Gravure sur pierre calcaire
Ekootak
Holman

126

127

Biographical Note

In 1954 the oldest and finest seamstress in the settlement of Bellin (Payne) in Arctic Quebec approached the arts and craft centre there with a parka she had made. The young white man in charge of buying craft items from the Eskimos was new. He would not know a good parka from one which had been stitched in a hurry. She would take her money and leave as rapidly as she had made the parka.

But the young white man was not so easily fooled. "I will take only the best you can make, and you know what that is better than I do," he told her. From that day forward the old lady, and all the other Eskimos who had watched her test the young man, brought to the craft centre only their finest work.

This is one story of many which are told of William Terl Larmour, Industrial Division, Department of Indian Affairs and Northern Development: it is quoted here as an example of the respect he has gained in all Arctic centres where he has worked, and as an example of how that respect was won. Since 1954 Larmour has worked in 36 Arctic communities, a figure which today represents all centres in the Canadian north from which come the finest Eskimo arts and crafts. Since joining the Department in 1950, Larmour has worked in close association with the Canadian Handicraft Guild of Montreal, an organization in large part responsible for bringing Eskimo arts and crafts to the attention of the Canadian people. Today he represents the Department in the selection of Eskimo carvings for Canada's national collection.

In 1953, Larmour led the Department's first resources survey team into the Koksoak River region of Ungava Bay. In 1954 he visited Iceland for the Department to study the eiderduck colonies there with a view to establishing the eiderdown industry in areas of the Canadian Arctic. In 1959, and for the two following summers, he played a large part in the establishing of the sealskin craft program at Port Burwell, an industry which has since spread to many northern craft centres. In 1959 he attended the Alaska Science Conference, a sharing of ideas between the United States and Canada on Alaska and the Canadian north. During 1962 Larmour spent six months at Baker Lake in Keewatin, an area now widely renowned for its Eskimo art. Writing in *Maclean's Magazine,* July 1964, Edith Iglauer said the men of Baker Lake were not carving. "To a man, they said they could not carve and never had. Larmour's answer was the same to all: 'Well, you won't ever know if you don't try', to which they would always reply, 'Imaha' — 'Perhaps' — and march off with a piece of rock under their arm."

Born at Liverpool, England, Larmour arrived in Canada at the age of 12. At the age of 13 he had earned his Canadian Mariner's Certificate, and in subsequent years served as a cabin boy in the Canadian Government Merchant Marine. In later years, he went to sea again as a member of the Royal Canadian Naval Volunteer Reserve to do service during the Battle of the Atlantic. He is a graduate of St Alban's College, formerly in Brockville, Ontario. His rewards from the Canadian north are stated simply: "The happiest, most rewarding years of my life have been spent living among the Eskimo peoples."

Mr Larmour is author of a number of published essays, papers, and books on Canadian Eskimo art, and prior to joining the Department was a member of the editorial staffs on *The Ottawa Citizen* and *The Ottawa Journal,* following early newspaper experience on the staff of *The Brantford Expositor.*

– Peter W. Taylor

En 1954, la plus vieille et la meilleure ouvrière de Bellin (Payne) dans l'Arctique québécois apportait au centre d'artisanat un anorak qu'elle avait fait. Elle savait que le jeune Blanc qui achetait les objets d'artisanat des Esquimaux venait d'arriver, et elle croyait bien qu'il ne pourrait reconnaître l'ouvrage fait à la hâte. Il lui faudrait aussi peu de temps pour vendre le vêtement que pour le coudre.

Mais le jeune homme ne se laissa pas si facilement duper. «Je n'achète que votre meilleur travail, dit-il, et vous vous y connaissez mieux que moi.» A partir de ce moment, la vieille femme, et tous les Esquimaux qui avaient assisté à l'examen auquel elle avait soumis le jeune homme, n'apportèrent au centre que du travail de la plus haute qualité.

Le héros de cette anecdote est William Terl Larmour de la division industrielle du ministère des Affaires indiennes et du Nord canadien et il y en a beaucoup d'autres sur son compte. Celle-ci montre bien le respect qu'il s'est acquis dans tous les centres arctiques où il a travaillé, et la façon dont il a su mériter ce respect. Depuis 1954, M. Larmour a travaillé dans 36 villages du Grand Nord, soit tous les centres d'où proviennent aujourd'hui les plus beaux objets d'art et d'artisanat esquimaux. Depuis qu'il s'est joint au Ministère en 1950, M. Larmour a travaillé en étroite collaboration avec la *Canadian Handicrafts Guild* de Montréal, organisme à qui revient en grande partie l'honneur d'avoir attiré l'attention du public canadien sur les arts esquimaux. Il représente maintenant le Ministère pour le choix des sculptures esquimaudes destinées à la collection nationale du Canada.

En 1953, M. Larmour était à la tête de la première équipe d'exploration des ressources envoyée par le Ministère dans la région du fleuve Koksoak (baie d'Ungava). En 1954, il visitait l'Islande pour le compte du Ministère afin d'y étudier les colonies d'eiders dans l'intention d'implanter l'industrie du duvet dans le Grand Nord canadien. En 1959 et au cours des deux étés subséquents, M. Larmour a joué un rôle important dans l'établissement de l'industrie des objets en peau de phoque à Port Burwell, industrie qui s'est depuis étendue à de nombreux autres centres. En 1959, il assistait à la Conférence scientifique de l'Alaska, où le Canada et les Etats-Unis échangeaient des idées sur l'Alaska et le Grand Nord canadien. En 1962, M. Larmour passa six mois à Baker Lake, dans le Keewatin, région maintenant reconnue pour la qualité de l'art esquimau. Dans un article du *Maclean's Magazine*

de juillet 1964, Edith Iglauer écrivait que les hommes de Baker Lake ne sculptaient pas. «Ils déclaraient tous qu'ils ne savaient pas sculpter et ne l'avaient jamais su. A chacun, M. Larmour répondait: «Vous ne le saurez jamais si vous n'essayez pas.» Il recevait toujours la même réponse: «Imaha» («peut-être») ... mais l'Esquimau s'en allait une pierre sous le bras.»

Né à Liverpool, en Angleterre, M. Larmour est arrivé au Canada à l'âge de 12 ans. A 13 ans il obtenait son brevet de matelot et s'engageait comme mousse dans la marine marchande canadienne. Plus tard, il devait reprendre la mer et participer à la bataille de l'Atlantique. Il est diplômé de St. Alban's College, autrefois à Brockville, Ontario.

Si on lui demande ce qu'il retire du Grand Nord canadien, il répond simplement: «Les plus belles et les plus riches heures de ma vie, je les ai passées parmi les Esquimaux.» M. Larmour a publié de nombreux essais, articles et livres sur l'art esquimau du Canada. Avant de se joindre au ministère du Nord canadien et des Ressources nationales, il avait été rédacteur à *The Ottawa Citizen* et *The Ottawa Journal,* après avoir acquis sa première expérience du journalisme à *The Brantford Expositor.*

– Peter W. Taylor

Photo Credits / Photographie

Paul Arthur & Associates Limited: 26, 34, 35, 38, 39, 52, 54, 55, 59, 61
Fred Bruemmer: 17
Wilf Doucette: 13
La Fédération des Coopératives du Nouveau-Québec: 96, 97, 98
W. T. Larmour: 9
Chris Lund: 28, 30, 31, 32, 33, 34, 38, 40, 41, 42, 43, 44, 46, 47, 48, 50, 51, 53, 55

National Film Board/L'Office nationale du film: 2, 19, 29, 46, 50, 59, 69, 84, 85, 86, 87, 88, 89, 90, 91, 92, 93, 94, 95, 99, 100, 101
Alex Stevenson: 24
Tsin Van: 36, 37, 49, 50, 58
George Swinton: 6 Iyola, 7 Kingslik
Eric H. Mitchell: 7 Akigga, 8 Mapka

Roger Duhamel, FRSC
Queen's Printer and Controller of Stationery
Ottawa 1967 — Reprinted 1968
Design: Arthur & Spencer Limited, Toronto
Printing: The Ryerson Press, Toronto

Roger Duhamel, MSRC
Imprimeur de la Reine et Contrôleur de la Papeterie
Ottawa 1967 — Réimprimé 1968
Présentation: Arthur & Spencer Limited, Toronto
Impression: The Ryerson Press, Toronto

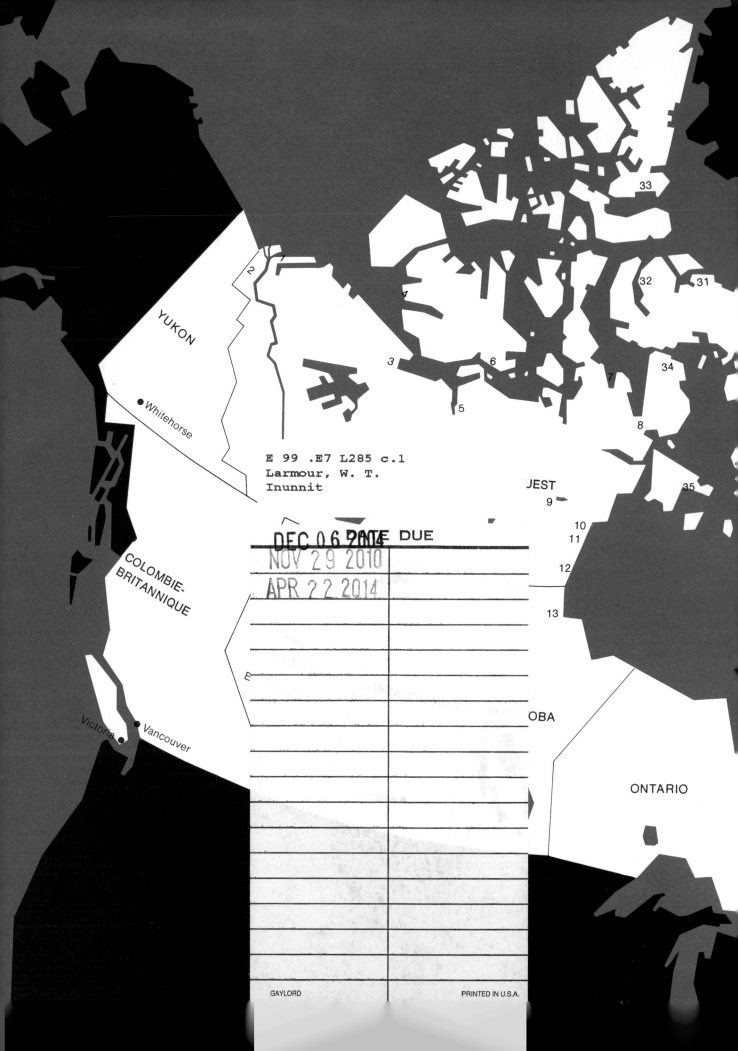

E 99 .E7 L285 c.1
Larmour, W. T.
Inunnit